4주 완성 스케줄표

공부한 날		주	일	학습 내용
월	일	**1**주	도입	1주에 배울 내용을 알아볼까요?
			1일	분모가 같은 (분수)÷(분수)(1)
월	일		2일	분모가 같은 (분수)÷(분수)(2)
월	일		3일	분모가 다른 (분수)÷(분수)
월	일		4일	(자연수)÷(진분수)
월	일		5일	(자연수)÷(가분수), (자연수)÷(대분수)
			평가 / 특강	누구나 100점 맞는 테스트 / 창의·융합·코딩
월	일	**2**주	도입	2주에 배울 내용을 알아볼까요?
			1일	(분수)÷(분수)(1)
월	일		2일	(분수)÷(분수)(2)
월	일		3일	세 수의 계산
월	일		4일	(소수 한 자리 수)÷(소수 한 자리 수)
월	일		5일	(소수 두 자리 수)÷(소수 두 자리 수)
			평가 / 특강	누구나 100점 맞는 테스트 / 창의·융합·코딩
월	일	**3**주	도입	3주에 배울 내용을 알아볼까요?
			1일	자릿수가 다른 (소수)÷(소수)
월	일		2일	(자연수)÷(소수 한 자리 수)
월	일		3일	(자연수)÷(소수 두 자리 수)
월	일		4일	몫을 반올림하여 나타내기
월	일		5일	나누어 주고 남는 양 구하기
			평가 / 특강	누구나 100점 맞는 테스트 / 창의·융합·코딩
월	일	**4**주	도입	4주에 배울 내용을 알아볼까요?
			1일	비의 성질
월	일		2일	간단한 자연수의 비로 나타내기
월	일		3일	비례식
월	일		4일	비례식의 성질
월	일		5일	비례배분
			평가 / 특강	누구나 100점 맞는 테스트 / 창의·융합·코딩

공부한 날을 표시하고 하루하루 학습 내용을 살펴보세요.

Chunjae
Makes
Chunjae

▼

기획총괄   박금옥

편집개발   지유경, 정소현, 조선영, 원희정,
              이정선, 최윤석, 김선주, 박선민

디자인총괄 김희정

표지디자인 윤순미, 안채리

내지디자인 박희춘, 이혜진

제작   황성진, 조규영

발행일   2021년 4월 15일 초판 2021년 4월 15일 1쇄

발행인   (주)천재교육

주소   서울시 금천구 가산로9길 54

신고번호   제2001-000018호

고객센터   1577-0902

똑 똑 한

하루
계산

6B

기운과 끈기는
모든 것을 이겨낸다.
- 벤자민 플랭크린 -

주별 Contents

똑똑한 하루 계산 이 책의 특징

도입 ## 이번에 배울 내용을 알아볼까요?

이번 주에 공부할 내용을 만화로 재미있게!

반드시 알아야
할 개념을
쉽고 재미있는
만화로 확인!

개념 완성 ## 개념·원리 확인

쉬운 계산 원리를 만화로 쏙쏙!

계산 반복 훈련

계산 원리와 방법이
한눈에 쏙쏙!

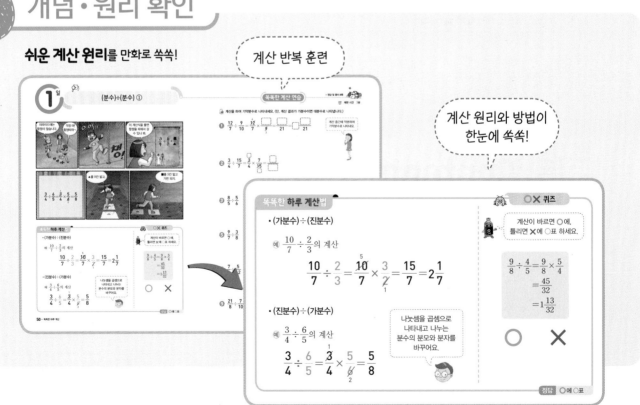

기초 집중 연습

다양한 형태의 계산 문제를 반복하여 완벽하게 익히기!

생활 속에서 필요한
계산 연습!

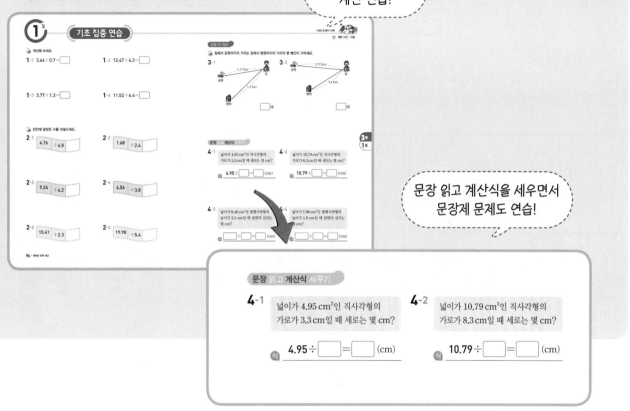

문장 읽고 계산식을 세우면서
문장제 문제도 연습!

문장 읽고 계산식 세우기

4-1 넓이가 4.95 cm²인 직사각형의 가로가 3.3 cm일 때 세로는 몇 cm?

식 $4.95 \div \boxed{} = \boxed{}$ (cm)

4-2 넓이가 10.79 cm²인 직사각형의 가로가 8.3 cm일 때 세로는 몇 cm?

식 $10.79 \div \boxed{} = \boxed{}$ (cm)

평가 + 창의·융합·코딩

한 주에 배운 내용을 테스트로 마무리!

빠르고 정확하게 풀어 보자!

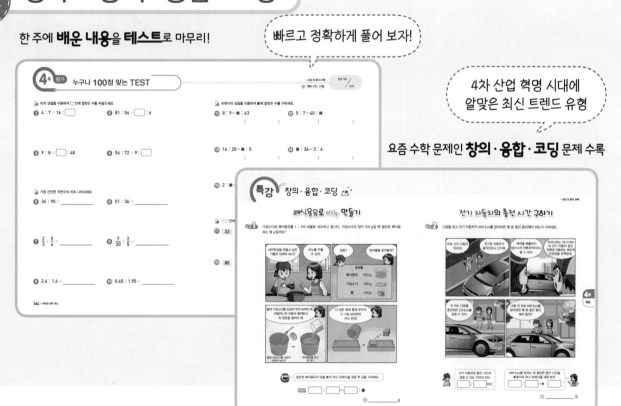

4차 산업 혁명 시대에
알맞은 최신 트렌드 유형

요즘 수학 문제인 **창의·융합·코딩** 문제 수록

1주 분수의 나눗셈 (1)

6-1 (진분수)÷(자연수), (가분수)÷(자연수)

게임을 계속 하려면 $\frac{4}{5} \div 3$을 계산해야 해.

÷3을 $\times \frac{1}{3}$로 바꾸어 계산해 보자.

(분수)÷(자연수)는 ÷(자연수)를 $\times \dfrac{1}{(자연수)}$로 바꾸어 계산해요.

$$\frac{4}{5} \div 3 = \frac{4}{5} \times \frac{1}{3} = \frac{4}{15}$$

🐻 계산해 보세요.

1-1 $\dfrac{5}{7} \div 4 = \dfrac{5}{7} \times \dfrac{1}{\square} = \dfrac{\square}{\square}$

1-2 $\dfrac{3}{8} \div 7 = \dfrac{3}{8} \times \dfrac{1}{\square} = \dfrac{\square}{\square}$

1-3 $\dfrac{17}{3} \div 4 = \dfrac{17}{3} \times \dfrac{1}{\square} = \dfrac{\square}{\square} = \square\dfrac{\square}{\square}$

1-4 $\dfrac{21}{5} \div 2 = \dfrac{21}{5} \times \dfrac{1}{\square} = \dfrac{\square}{\square} = \square\dfrac{\square}{\square}$

6-1 (대분수)÷(자연수)

(대분수)÷(자연수)는
대분수를 가분수로 나타내고
÷(자연수)를 $\times \dfrac{1}{(자연수)}$ 로
바꾸어 계산해요.

$$2\frac{1}{3} \div 5 = \frac{7}{3} \times \frac{1}{5} = \frac{7}{15}$$

1주
1일

🐻 계산해 보세요.

2-1 $\ 3\dfrac{1}{3} \div 7 = \dfrac{\boxed{}}{3} \times \dfrac{1}{\boxed{}}$

$\qquad = \dfrac{\boxed{}}{\boxed{}}$

2-2 $\ 2\dfrac{3}{7} \div 6 = \dfrac{\boxed{}}{7} \times \dfrac{1}{\boxed{}}$

$\qquad = \dfrac{\boxed{}}{\boxed{}}$

2-3 $\ 4\dfrac{1}{6} \div 8$

2-4 $\ 2\dfrac{5}{8} \div 5$

분모가 같은 (분수)÷(분수) ①

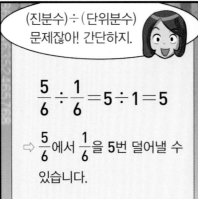

똑똑한 하루 계산법

• 분모가 같은 (진분수)÷(단위분수)

㉠ $\dfrac{5}{6} \div \dfrac{1}{6}$ 의 계산

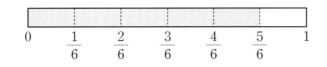

$$\dfrac{5}{6} \div \dfrac{1}{6} = 5 \div 1 = 5 \qquad \dfrac{■}{●} \div \dfrac{1}{●} = ▲ \div 1 = ▲$$

$\dfrac{5}{6}$ 에서 $\dfrac{1}{6}$ 을 5번 덜어낼 수 있습니다.

○✕ 퀴즈

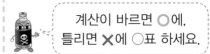 계산이 바르면 ○에, 틀리면 ✕에 ○표 하세요.

$$\dfrac{3}{7} \div \dfrac{1}{7} = 3 \div 1 = 3$$

○   ✕

🐻 계산해 보세요.

① $\dfrac{6}{7} \div \dfrac{1}{7} = \boxed{} \div \boxed{} = \boxed{}$

② $\dfrac{3}{8} \div \dfrac{1}{8} = \boxed{} \div \boxed{} = \boxed{}$

③ $\dfrac{4}{5} \div \dfrac{1}{5} = \boxed{} \div \boxed{} = \boxed{}$

④ $\dfrac{7}{10} \div \dfrac{1}{10} = \boxed{} \div \boxed{} = \boxed{}$

⑤ $\dfrac{8}{11} \div \dfrac{1}{11}$

⑥ $\dfrac{4}{9} \div \dfrac{1}{9}$

⑦ $\dfrac{8}{9} \div \dfrac{1}{9}$

⑧ $\dfrac{7}{13} \div \dfrac{1}{13}$

⑨ $\dfrac{11}{15} \div \dfrac{1}{15}$

⑩ $\dfrac{10}{17} \div \dfrac{1}{17}$

⑪ $\dfrac{20}{21} \div \dfrac{1}{21}$

⑫ $\dfrac{16}{25} \div \dfrac{1}{25}$

분모가 같은 (분수)÷(분수) ②

똑똑한 하루 계산법

• 분자끼리 나누어떨어지는 분모가 같은 (진분수)÷(진분수)

예) $\dfrac{6}{7} \div \dfrac{2}{7}$의 계산

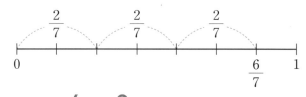

$$\dfrac{6}{7} \div \dfrac{2}{7} = 6 \div 2 = 3$$

$\dfrac{6}{7}$은 $\dfrac{1}{7}$이 6개, $\dfrac{2}{7}$는 $\dfrac{1}{7}$이 2개이므로
$\dfrac{6}{7} \div \dfrac{2}{7}$는 6을 2로 나누는 것과 같습니다.

○✕ 퀴즈

계산이 바르면 ○에,
틀리면 ✕에 ○표 하세요.

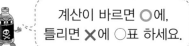

$$\dfrac{4}{9} \div \dfrac{2}{9} = 4 \div 2 = 2$$

 ○　　　✕

 계산해 보세요.

① $\dfrac{8}{9} \div \dfrac{4}{9} = 8 \div \boxed{} = \boxed{}$

② $\dfrac{4}{7} \div \dfrac{2}{7} = 4 \div \boxed{} = \boxed{}$

③ $\dfrac{9}{10} \div \dfrac{3}{10} = \boxed{} \div \boxed{} = \boxed{}$

④ $\dfrac{10}{11} \div \dfrac{2}{11} = \boxed{} \div \boxed{} = \boxed{}$

⑤ $\dfrac{8}{13} \div \dfrac{2}{13}$

⑥ $\dfrac{9}{14} \div \dfrac{3}{14}$

⑦ $\dfrac{8}{15} \div \dfrac{4}{15}$

⑧ $\dfrac{15}{17} \div \dfrac{3}{17}$

⑨ $\dfrac{15}{16} \div \dfrac{5}{16}$

⑩ $\dfrac{16}{19} \div \dfrac{8}{19}$

⑪ $\dfrac{20}{23} \div \dfrac{4}{23}$

⑫ $\dfrac{21}{26} \div \dfrac{7}{26}$

1주
1일

기초 집중 연습

🐻 그림을 보고 ☐ 안에 알맞은 수를 써넣으세요.

1-1

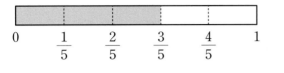

$$\frac{3}{5} \div \frac{1}{5} = \boxed{}$$

1-2

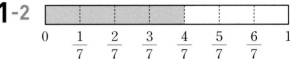

$$\frac{4}{7} \div \frac{1}{7} = \boxed{}$$

1-3

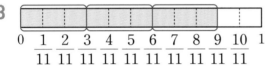

$$\frac{9}{11} \div \frac{3}{11} = \boxed{}$$

1-4

$$\frac{8}{9} \div \frac{2}{9} = \boxed{}$$

🐻 빈칸에 알맞은 수를 써넣으세요.

2-1

$$\boxed{\frac{9}{14}} \Rightarrow \boxed{\div \frac{1}{14}} \Rightarrow \boxed{}$$

2-2

$$\boxed{\frac{12}{17}} \Rightarrow \boxed{\div \frac{1}{17}} \Rightarrow \boxed{}$$

2-3

$$\boxed{\frac{16}{23}} \Rightarrow \boxed{\div \frac{4}{23}} \Rightarrow \boxed{}$$

2-4

$$\boxed{\frac{28}{37}} \Rightarrow \boxed{\div \frac{7}{37}} \Rightarrow \boxed{}$$

▶ 정답 및 풀이 1쪽

생활 속 계산

🐻 주스를 주어진 양만큼씩 나누어 컵에 따르려고 합니다. 몇 개의 컵에 나누어 담을 수 있는지 구하세요.

3-1  $\dfrac{28}{29}$ L  $\dfrac{7}{29}$ L씩

$$\dfrac{28}{29} \div \dfrac{7}{29} = \boxed{} \text{(컵)}$$

3-2  $\dfrac{25}{27}$ L  $\dfrac{5}{27}$ L씩

$$\dfrac{25}{27} \div \dfrac{5}{27} = \boxed{} \text{(컵)}$$

3-3  $\dfrac{27}{31}$ L  $\dfrac{9}{31}$ L씩

$\boxed{}$ 컵

3-4  $\dfrac{33}{34}$ L  $\dfrac{11}{34}$ L씩

$\boxed{}$ 컵

문장 읽고 계산식 세우기

4-1 길이가 $\dfrac{5}{8}$ m인 리본 끈을 $\dfrac{1}{8}$ m씩 자르면 모두 몇 도막?

식 $\dfrac{5}{8} \div \boxed{} = \boxed{} \text{(도막)}$

4-2 길이가 $\dfrac{10}{21}$ m인 리본 끈을 $\dfrac{2}{21}$ m씩 자르면 모두 몇 도막?

식 $\dfrac{10}{21} \div \boxed{} = \boxed{} \text{(도막)}$

1주
1일

분모가 같은 (분수)÷(분수) ③

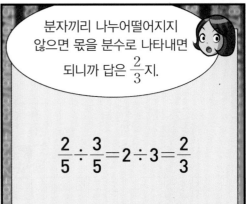

똑똑한 하루 계산법

• 분자끼리 나누어떨어지지 않는
분모가 같은 (진분수)÷(진분수) — 몫이 1보다 작은 경우

예 $\dfrac{2}{5} \div \dfrac{3}{5}$ 의 계산

$$\dfrac{2}{5} \div \dfrac{3}{5} = 2 \div 3 = \dfrac{2}{3}$$

분자끼리 나누어떨어지지 않을 때에는 몫을 분수로 나타냅니다.

참고

$$\dfrac{\bullet}{\blacktriangle} \div \dfrac{\blacksquare}{\blacktriangle} = \bullet \div \blacksquare = \dfrac{\bullet}{\blacksquare}$$

○✕ 퀴즈

 계산이 바르면 ○에,
틀리면 ✕에 ○표 하세요.

$$\dfrac{3}{8} \div \dfrac{5}{8} = 3 \div 5 = \dfrac{3}{5}$$

 ○   ✕

정답 ○에 ○표

계산을 하여 기약분수로 나타내세요.

① $\dfrac{2}{9} \div \dfrac{5}{9} = 2 \div \boxed{} = \dfrac{\boxed{}}{\boxed{}}$

② $\dfrac{5}{8} \div \dfrac{7}{8} = 5 \div \boxed{} = \dfrac{\boxed{}}{\boxed{}}$

③ $\dfrac{3}{17} \div \dfrac{7}{17} = \boxed{} \div \boxed{} = \dfrac{\boxed{}}{\boxed{}}$

④ $\dfrac{5}{12} \div \dfrac{11}{12} = 5 \div \boxed{} = \dfrac{\boxed{}}{\boxed{}}$

⑤ $\dfrac{7}{11} \div \dfrac{9}{11}$

⑥ $\dfrac{3}{8} \div \dfrac{7}{8}$

⑦ $\dfrac{3}{10} \div \dfrac{7}{10}$

⑧ $\dfrac{4}{15} \div \dfrac{13}{15}$

⑨ $\dfrac{6}{11} \div \dfrac{7}{11}$

⑩ $\dfrac{12}{25} \div \dfrac{17}{25}$

⑪ $\dfrac{11}{26} \div \dfrac{15}{26}$

⑫ $\dfrac{5}{19} \div \dfrac{12}{19}$

분모가 같은 (분수)÷(분수) ④

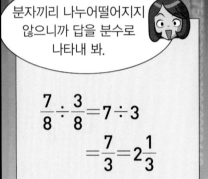

똑똑한 하루 계산법

• 분자끼리 나누어떨어지지 않는
분모가 같은 (진분수)÷(진분수) — 몫이 1보다 큰 경우

예 $\dfrac{7}{8} \div \dfrac{3}{8}$ 의 계산

$$\frac{7}{8} \div \frac{3}{8} = 7 \div 3 = \frac{7}{3} = 2\frac{1}{3}$$

참고

나누어지는 수가 나누는 수보다 크면 몫이 1보다 큽니다.

예 $\dfrac{3}{5} \div \dfrac{2}{5}$ 에서 $\dfrac{3}{5} > \dfrac{2}{5}$ 이므로 몫이 1보다 큽니다.

$$\frac{3}{5} \div \frac{2}{5} = 3 \div 2 = \frac{3}{2} = 1\frac{1}{2} \Rightarrow 1\frac{1}{2} > 1$$

○✕ 퀴즈

계산이 바르면 ○에,
틀리면 ✕에 ○표 하세요.

$$\frac{4}{7} \div \frac{3}{7} = 4 \div 3 = \frac{3}{4}$$

정답 ✕에 ○표

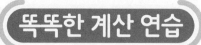
🐻 계산을 하여 기약분수로 나타내세요. (단, 계산 결과가 가분수이면 대분수로 나타냅니다.)

① $\dfrac{6}{7} \div \dfrac{5}{7} = 6 \div \square = \dfrac{\square}{\square} = \square\dfrac{\square}{\square}$

② $\dfrac{8}{11} \div \dfrac{3}{11} = 8 \div \square = \dfrac{\square}{\square} = \square\dfrac{\square}{\square}$

③ $\dfrac{9}{11} \div \dfrac{4}{11}$

④ $\dfrac{10}{13} \div \dfrac{7}{13}$

⑤ $\dfrac{9}{14} \div \dfrac{5}{14}$

⑥ $\dfrac{7}{10} \div \dfrac{3}{10}$

⑦ $\dfrac{10}{17} \div \dfrac{9}{17}$

⑧ $\dfrac{5}{7} \div \dfrac{4}{7}$

⑨ $\dfrac{11}{12} \div \dfrac{7}{12}$

⑩ $\dfrac{8}{19} \div \dfrac{3}{19}$

🐻 관계있는 것끼리 선으로 이어 보세요.

1-1

$\dfrac{2}{7} \div \dfrac{5}{7}$ • • $3 \div 5$

$\dfrac{4}{9} \div \dfrac{7}{9}$ • • $4 \div 7$

$\dfrac{3}{11} \div \dfrac{5}{11}$ • • $2 \div 5$

1-2

$\dfrac{4}{5} \div \dfrac{3}{5}$ • • $5 \div 4$

$\dfrac{5}{8} \div \dfrac{3}{8}$ • • $4 \div 3$

$\dfrac{5}{11} \div \dfrac{4}{11}$ • • $5 \div 3$

🐻 빈칸에 알맞은 기약분수를 써넣으세요. (단, 계산 결과가 가분수이면 대분수로 나타냅니다.)

2-1

$\dfrac{7}{16}$ $\div$ $\dfrac{11}{16}$

2-2

$\dfrac{14}{25}$ $\div$ $\dfrac{9}{25}$

2-3

$\dfrac{10}{33}$ $\div$ $\dfrac{17}{33}$

2-4

$\dfrac{14}{19}$ $\div$ $\dfrac{13}{19}$

2-5

$\dfrac{15}{17}$ $\div$ $\dfrac{8}{17}$

2-6

$\dfrac{5}{23}$ $\div$ $\dfrac{18}{23}$

⏰ 제한 시간 8분

생활 속 계산

🐻 친구들이 사용한 초록색 리본의 길이는 파란색 리본의 길이의 몇 배인지 계산을 하여 기약분수로 나타내세요. (단, 계산 결과가 가분수이면 대분수로 나타냅니다.)

3-1 $\dfrac{14}{17}$ m $\dfrac{9}{17}$ m

$$\dfrac{14}{17} \div \dfrac{9}{17} = \boxed{} \text{(배)}$$

3-2 $\dfrac{15}{19}$ m $\dfrac{8}{19}$ m

$$\dfrac{15}{19} \div \dfrac{8}{19} = \boxed{} \text{(배)}$$

3-3 $\dfrac{10}{23}$ m $\dfrac{19}{23}$ m

$$\dfrac{10}{23} \div \dfrac{19}{23} = \boxed{} \text{(배)}$$

3-4 $\dfrac{7}{12}$ m $\dfrac{11}{12}$ m

$$\dfrac{7}{12} \div \dfrac{11}{12} = \boxed{} \text{(배)}$$

문장 읽고 계산식 세우기

4-1

과학책의 무게가 $\dfrac{5}{9}$ kg, 동화책의 무게가 $\dfrac{8}{9}$ kg일 때, 과학책의 무게는 동화책의 무게의 몇 배?

$$\dfrac{5}{9} \div \boxed{} = \boxed{} \text{(배)}$$

식 _____

4-2

영어책의 무게가 $\dfrac{8}{11}$ kg, 소설책의 무게가 $\dfrac{9}{11}$ kg일 때, 영어책의 무게는 소설책의 무게의 몇 배?

$$\dfrac{8}{11} \div \boxed{} = \boxed{} \text{(배)}$$

식 _____

1주
2일

3^일 분모가 다른 (분수)÷(분수) ①

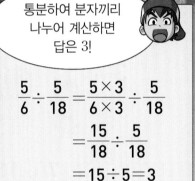

똑똑한 하루 계산법

• 분모가 다른 (분수)÷(분수)를 통분하여 계산하기

(예) $\dfrac{5}{6} \div \dfrac{5}{18}$ 의 계산

$$\dfrac{5}{6} \div \dfrac{5}{18} = \dfrac{5 \times 3}{6 \times 3} \div \dfrac{5}{18}$$

통분하기   분자끼리 나누기

$$= \dfrac{15}{18} \div \dfrac{5}{18} = 15 \div 5 = 3$$

 분모가 다른 분수의 나눗셈은 통분하여 분자끼리 나누어 구할 수 있습니다.

○✕ 퀴즈

계산이 바르면 ○에, 틀리면 ✕에 ○표 하세요.

$$\dfrac{2}{3} \div \dfrac{3}{4} = \dfrac{8}{12} \div \dfrac{9}{12}$$
$$= 8 \div 9 = \dfrac{8}{9}$$

🐻 계산을 하여 기약분수로 나타내세요. (단, 계산 결과가 가분수이면 대분수로 나타냅니다.)

① $\dfrac{4}{5} \div \dfrac{2}{15} = \dfrac{4 \times 3}{5 \times 3} \div \dfrac{2}{15} = \dfrac{\boxed{}}{15} \div \dfrac{2}{15} = \boxed{} \div \boxed{} = \boxed{}$

② $\dfrac{3}{7} \div \dfrac{2}{3} = \dfrac{3 \times 3}{7 \times 3} \div \dfrac{2 \times 7}{3 \times 7} = \dfrac{\boxed{}}{21} \div \dfrac{\boxed{}}{21} = \boxed{} \div \boxed{} = \dfrac{\boxed{}}{\boxed{}}$

③ $\dfrac{4}{9} \div \dfrac{5}{8}$

④ $\dfrac{5}{7} \div \dfrac{3}{4}$

⑤ $\dfrac{5}{6} \div \dfrac{5}{12}$

⑥ $\dfrac{7}{8} \div \dfrac{1}{4}$

⑦ $\dfrac{7}{24} \div \dfrac{3}{8}$

⑧ $\dfrac{5}{16} \div \dfrac{3}{4}$

⑨ $\dfrac{15}{32} \div \dfrac{5}{8}$

⑩ $\dfrac{10}{21} \div \dfrac{4}{7}$

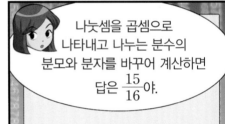

똑똑한 하루 계산법

- 분모가 다른 (분수)÷(분수)를 (분수)×(분수)로 계산하기

예) $\dfrac{3}{8} \div \dfrac{2}{5}$ 의 계산

$$\dfrac{3}{8} \div \dfrac{2}{5} = \dfrac{3}{8} \times \dfrac{5}{2} = \dfrac{15}{16}$$

나눗셈을 곱셈으로
나타내고 나누는
분수의 분모와 분자를
바꾸어 줍니다.

참고

○× 퀴즈

계산이 바르면 ○에,
틀리면 ✕에 ○표 하세요.

$$\dfrac{4}{7} \div \dfrac{2}{3} = \dfrac{4}{7} \times \dfrac{2}{3} = \dfrac{8}{21}$$

○　　　✕

정답 ✕에 ○표

똑똑한 계산 연습

🐻 계산을 하여 기약분수로 나타내세요. (단, 계산 결과가 가분수이면 대분수로 나타냅니다.)

1 $\dfrac{1}{2} \div \dfrac{4}{5} = \dfrac{1}{2} \times \dfrac{\boxed{}}{\boxed{}} = \dfrac{\boxed{}}{\boxed{}}$

2 $\dfrac{4}{7} \div \dfrac{7}{9} = \dfrac{4}{7} \times \dfrac{\boxed{}}{\boxed{}} = \dfrac{\boxed{}}{\boxed{}}$

3 $\dfrac{5}{8} \div \dfrac{3}{7} = \dfrac{5}{8} \times \dfrac{\boxed{}}{\boxed{}} = \dfrac{\boxed{}}{\boxed{}} = \boxed{} \dfrac{\boxed{}}{\boxed{}}$

4 $\dfrac{7}{12} \div \dfrac{2}{5}$

5 $\dfrac{4}{15} \div \dfrac{5}{7}$

6 $\dfrac{7}{11} \div \dfrac{5}{8}$

7 $\dfrac{5}{6} \div \dfrac{7}{12}$

8 $\dfrac{14}{27} \div \dfrac{7}{12}$

9 $\dfrac{9}{16} \div \dfrac{3}{5}$

10 $\dfrac{4}{9} \div \dfrac{2}{5}$

11 $\dfrac{8}{13} \div \dfrac{4}{9}$

기초 집중 연습

🐻 **보기**와 같이 계산해 보세요.

> **보기**
>
> $$\frac{3}{5} \div \frac{2}{3} = \frac{9}{15} \div \frac{10}{15} = 9 \div 10 = \frac{9}{10}$$

1-1 $\dfrac{1}{3} \div \dfrac{2}{5}$

1-2 $\dfrac{2}{9} \div \dfrac{5}{8}$

🐻 **보기**와 같이 계산해 보세요.

> **보기**
>
> $$\frac{3}{4} \div \frac{2}{3} = \frac{3}{4} \times \frac{3}{2} = \frac{9}{8} = 1\frac{1}{8}$$

2-1 $\dfrac{8}{9} \div \dfrac{3}{4}$

2-2 $\dfrac{7}{10} \div \dfrac{3}{7}$

🐻 빈칸에 알맞은 기약분수를 써넣으세요. (단, 계산 결과가 가분수이면 대분수로 나타냅니다.)

3-1 $\dfrac{15}{16}$

$\div \dfrac{9}{14}$

3-2 $\dfrac{9}{10}$

$\div \dfrac{3}{8}$

생활 속 계산

친구들이 일정한 빠르기로 자전거를 타고 1분에 주어진 거리만큼씩 간다면 집까지 몇 분이 걸리는지 기약분수로 나타내세요. (단, 계산 결과가 가분수이면 대분수로 나타냅니다.)

4-1

1분에 $\dfrac{2}{11}$ km씩 집까지 $\dfrac{4}{5}$ km를 가요.

$$\dfrac{4}{5} \div \dfrac{2}{11} = \boxed{} \text{(분)}$$

4-2

1분에 $\dfrac{2}{9}$ km씩 집까지 $\dfrac{11}{13}$ km를 가요.

$$\dfrac{11}{13} \div \dfrac{2}{9} = \boxed{} \text{(분)}$$

4-3

1분에 $\dfrac{4}{15}$ km씩 집까지 $\dfrac{6}{7}$ km를 가요.

$$\dfrac{6}{7} \div \dfrac{4}{15} = \boxed{} \text{(분)}$$

4-4

1분에 $\dfrac{3}{14}$ km씩 집까지 $\dfrac{5}{6}$ km를 가요.

$$\dfrac{5}{6} \div \dfrac{3}{14} = \boxed{} \text{(분)}$$

문장 읽고 계산식 세우기

5-1

넓이가 $\dfrac{8}{25}$ m²인 직사각형의 가로가 $\dfrac{2}{5}$ m일 때, 세로는 몇 m?

$$\dfrac{8}{25} \div \boxed{} = \boxed{} \text{(m)}$$

식 _____

5-2

넓이가 $\dfrac{25}{63}$ m²인 직사각형의 세로가 $\dfrac{5}{7}$ m일 때, 가로는 몇 m?

$$\dfrac{25}{63} \div \boxed{} = \boxed{} \text{(m)}$$

식 _____

(자연수)÷(진분수) ①

삐에로는 어디 있는 거야?

부아앙

훗! 물폭탄을 선물해 줘야겠군!

크크크~

물폭탄

$(6 \div \frac{3}{4})$ 개

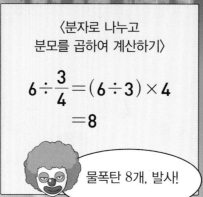

〈분자로 나누고 분모를 곱하여 계산하기〉

$6 \div \frac{3}{4} = (6 \div 3) \times 4$

$= 8$

물폭탄 8개, 발사!

펑 펑 펑

똑똑한 하루 계산법

• 자연수가 분수의 분자로 나누어떨어지는 (자연수)÷(진분수)

예 $6 \div \frac{3}{4}$의 계산

방법 1 분자로 나누고 분모를 곱하여 계산하기

$$6 \div \frac{3}{4} = (6 \div 3) \times 4 = 8$$

방법 2 나눗셈을 곱셈으로 나타내어 계산하기

$$6 \div \frac{3}{4} = 6 \times \frac{4}{3} = \frac{24}{3} = 8$$

→ 계산 과정에서 약분하여 계산하기

$$6 \div \frac{3}{4} = \overset{2}{6} \times \frac{4}{\underset{1}{3}} = 8$$

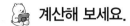 계산해 보세요.

1 $12 \div \dfrac{4}{7} = (12 \div 4) \times \boxed{} = \boxed{}$

2 $6 \div \dfrac{3}{5} = (6 \div 3) \times \boxed{} = \boxed{}$

3 $14 \div \dfrac{2}{9} = (14 \div \boxed{}) \times \boxed{}$
$= \boxed{}$

4 $15 \div \dfrac{5}{8} = (15 \div \boxed{}) \times \boxed{}$
$= \boxed{}$

5 $16 \div \dfrac{4}{5}$

6 $18 \div \dfrac{6}{7}$

7 $25 \div \dfrac{5}{8}$

8 $27 \div \dfrac{9}{10}$

9 $35 \div \dfrac{7}{9}$

10 $48 \div \dfrac{8}{11}$

11 $24 \div \dfrac{3}{7}$

12 $54 \div \dfrac{9}{13}$

1주
4일

(자연수)÷(진분수) ②

뭐지? 이 찜찜한 기분은?

물폭탄 미사일 접근 중!!

뭐 라고?

으 아 악~

방어시스템을 작동하겠습니까?

$8 \div \dfrac{3}{5} = ?$

당연하지!!

÷는 ×로, 분모는 분자로, 분자는 분모로 바꾸어 계산하면 답은 $13\dfrac{1}{3}$이지!

$$8 \div \frac{3}{5} = 8 \times \frac{5}{3} = \frac{40}{3}$$
$$= 13\frac{1}{3}$$

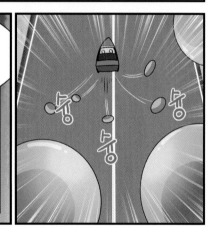

똑똑한 하루 계산법

• 자연수가 분수의 분자로 나누어떨어지지 않는 (자연수)÷(진분수)

예 $8 \div \dfrac{3}{5}$의 계산

÷는 ×로 바꾸기

$$8 \div \frac{3}{5} = 8 \times \frac{5}{3} = \frac{40}{3} = 13\frac{1}{3}$$

분모는 분자로, 분자는 분모로

나눗셈을 곱셈으로 나타내고 나누는 분수의 분모와 분자를 바꾸어 줍니다.

○× 퀴즈

계산이 바르면 ○에, 틀리면 ✕에 ○표 하세요.

$$9 \div \frac{4}{5} = 9 \times \frac{5}{4}$$
$$= \frac{45}{4} = 11\frac{1}{4}$$

 ○   ✕

정답 ○에 ○표

똑똑한 계산 연습

🐻 계산을 하여 기약분수로 나타내세요. (단, 계산 결과가 가분수이면 대분수로 나타냅니다.)

1 $5 \div \dfrac{3}{4} = 5 \times \dfrac{\square}{3} = \dfrac{\square}{3} = \square\dfrac{\square}{3}$

2 $6 \div \dfrac{5}{7} = 6 \times \dfrac{\square}{5} = \dfrac{\square}{5} = \square\dfrac{\square}{5}$

3 $9 \div \dfrac{4}{7}$

4 $2 \div \dfrac{3}{8}$

5 $11 \div \dfrac{2}{9}$

6 $3 \div \dfrac{4}{5}$

7 $4 \div \dfrac{5}{9}$

8 $6 \div \dfrac{7}{9}$

9 $8 \div \dfrac{9}{10}$

10 $10 \div \dfrac{3}{4}$

1주
4일

 보기 와 같이 계산해 보세요.

보기

$$12 \div \frac{4}{5} = (12 \div 4) \times 5 = 15$$

1-1 $45 \div \frac{5}{7}$

1-2 $15 \div \frac{3}{8}$

1-3 $21 \div \frac{3}{4}$

 빈칸에 알맞은 기약분수를 써넣으세요. (단, 계산 결과가 가분수이면 대분수로 나타냅니다.)

2-1
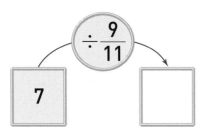

2-2
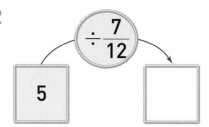

2-3
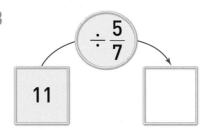

2-4
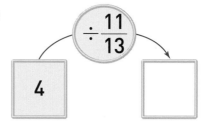

생활 속 계산

🐻 저울을 수평으로 맞추려면 추를 몇 개 사용해야 하는지 구하세요.

3-1

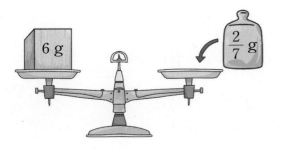

$$6 \div \frac{2}{7} = \boxed{} \text{(개)}$$

3-2

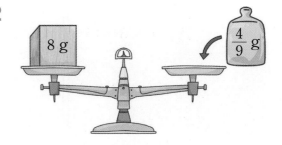

$$8 \div \frac{4}{9} = \boxed{} \text{(개)}$$

3-3

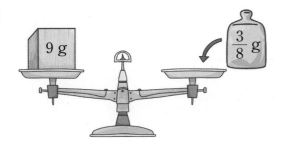

$$9 \div \frac{3}{8} = \boxed{} \text{(개)}$$

3-4

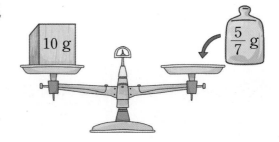

$$10 \div \frac{5}{7} = \boxed{} \text{(개)}$$

1주
4일

문장 읽고 계산식 세우기

4-1

굵기가 일정한 쇠막대 $\frac{2}{5}$ m의 무게가 8 kg일 때, 1 m의 무게는 몇 kg?

$$8 \div \boxed{} = \boxed{} \text{(kg)}$$

식 _____

4-2

굵기가 일정한 쇠막대 $\frac{3}{4}$ m의 무게가 9 kg일 때, 1 m의 무게는 몇 kg?

$$9 \div \boxed{} = \boxed{} \text{(kg)}$$

식 _____

(자연수)÷(가분수)

막았다!!

악! 다 막지는 못했나 봐.

곧 충돌합니다! 탈출 시스템을 작동하세요!

탈출 시스템?

악~

급한데 또 문제야?

탈출
$9 \div \dfrac{8}{5}$

$\div \dfrac{8}{5}$을 $\times \dfrac{5}{8}$로 바꾸어 계산하면 답은 $5\dfrac{5}{8}$지.

$$9 \div \dfrac{8}{5} = 9 \times \dfrac{5}{8}$$
$$= \dfrac{45}{8} = 5\dfrac{5}{8}$$

부룩

룩

똑똑한 하루 계산법

- (자연수)÷(가분수)를 분수의 곱셈으로 나타내어 계산하기

예) $9 \div \dfrac{8}{5}$의 계산

÷를 ×로 바꾸기

$$9 \div \dfrac{8}{5} = 9 \times \dfrac{5}{8} = \dfrac{45}{8} = 5\dfrac{5}{8}$$

$\div \dfrac{8}{5}$을 $\times \dfrac{5}{8}$로 바꾸어 계산합니다.

○× 퀴즈

계산이 바르면 ○에, 틀리면 ✕에 ○표 하세요.

$$8 \div \dfrac{7}{4} = 8 \times \dfrac{4}{7}$$
$$= \dfrac{32}{7} = 4\dfrac{4}{7}$$

 ○   ✕

정답 ○에 ○표

똑똑한 계산 연습

계산을 하여 기약분수로 나타내세요. (단, 계산 결과가 가분수이면 대분수로 나타냅니다.)

1 $4 \div \dfrac{7}{5} = 4 \times \dfrac{\boxed{}}{7} = \dfrac{\boxed{}}{7} = \boxed{}\dfrac{\boxed{}}{7}$

÷를 × 로 바꾸고 가분수의 분모와 분자를 바꿔요.

2 $6 \div \dfrac{11}{7} = 6 \times \dfrac{\boxed{}}{11} = \dfrac{\boxed{}}{11} = \boxed{}\dfrac{\boxed{}}{11}$

3 $4 \div \dfrac{8}{7}$

4 $8 \div \dfrac{5}{3}$

5 $12 \div \dfrac{9}{5}$

6 $15 \div \dfrac{7}{4}$

7 $12 \div \dfrac{11}{5}$

8 $11 \div \dfrac{9}{7}$

9 $21 \div \dfrac{5}{4}$

10 $7 \div \dfrac{9}{5}$

1주
5일

제법이군.

그렇다면…….

좀 더 재미있는 곳으로 보내줄게.

$5 ÷ 1\frac{1}{3} = ?$

대분수를 가분수로 나타내고 ÷를 ×로 바꾸어 계산하면 답은 $3\frac{3}{4}$이지.

$$5 ÷ 1\frac{1}{3} = 5 ÷ \frac{4}{3} = 5 × \frac{3}{4}$$
$$= \frac{15}{4} = 3\frac{3}{4}$$

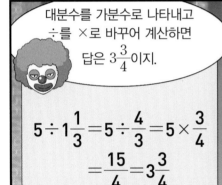

앗! 저건 뭐야?

헉!

으 아 악

똑똑한 하루 계산법

- (자연수)÷(대분수)를 분수의 곱셈으로 나타내어 계산하기

예) $5 ÷ 1\frac{1}{3}$의 계산

÷는 ×로 바꾸기

대분수를 가분수로 나타내고 ÷를 ×로 바꾸어 계산합니다.

$$5 ÷ 1\frac{1}{3} = 5 ÷ \frac{4}{3} = 5 × \frac{3}{4}$$
$$= \frac{15}{4} = 3\frac{3}{4}$$

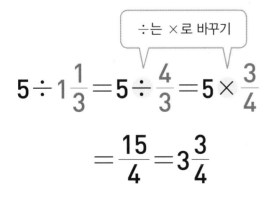

○✗ 퀴즈

계산이 바르면 ○에, 틀리면 ✗에 ○표 하세요.

$$3 ÷ 1\frac{2}{5} = 3 ÷ \frac{7}{5} = 3 × \frac{5}{7}$$
$$= \frac{15}{7} = 2\frac{1}{7}$$

○   ✗

똑똑한 계산 연습

🐻 계산을 하여 기약분수로 나타내세요. (단, 계산 결과가 가분수이면 대분수로 나타냅니다.)

1 $7 \div 1\frac{1}{4} = 7 \div \frac{5}{4} = 7 \times \dfrac{\square}{5} = \dfrac{\square}{5} = \square\dfrac{\square}{5}$

대분수를 가분수로
나타내어 계산해요.

2 $8 \div 1\frac{1}{2} = 8 \div \frac{3}{2} = 8 \times \dfrac{\square}{3} = \dfrac{\square}{3} = \square\dfrac{\square}{3}$

3 $5 \div 1\frac{3}{4}$

4 $6 \div 1\frac{2}{5}$

5 $7 \div 1\frac{1}{3}$

6 $9 \div 1\frac{1}{4}$

7 $12 \div 1\frac{1}{7}$

8 $15 \div 1\frac{2}{7}$

9 $4 \div 1\frac{2}{9}$

10 $7 \div 1\frac{1}{8}$

🐻 관계있는 것끼리 선으로 이어 보세요.

1-1

$6 \div \dfrac{5}{3}$ ·

$9 \div \dfrac{5}{4}$ ·

· $9\dfrac{2}{5}$

· $7\dfrac{1}{5}$

· $3\dfrac{3}{5}$

1-2

$4 \div 1\dfrac{2}{5}$ ·

$6 \div 1\dfrac{3}{4}$ ·

· $2\dfrac{6}{7}$

· $3\dfrac{2}{7}$

· $3\dfrac{3}{7}$

🐻 빈칸에 알맞은 기약분수를 써넣으세요. (단, 계산 결과가 가분수이면 대분수로 나타냅니다.)

2-1

$15 \rightarrow \div \dfrac{9}{2} \rightarrow \boxed{}$

2-2

$21 \rightarrow \div \dfrac{15}{7} \rightarrow \boxed{}$

2-3

$8 \rightarrow \div \dfrac{5}{2} \rightarrow \boxed{}$

2-4

$9 \rightarrow \div \dfrac{4}{3} \rightarrow \boxed{}$

2-5

$7 \rightarrow \div 1\dfrac{2}{3} \rightarrow \boxed{}$

2-6

$4 \rightarrow \div 2\dfrac{3}{5} \rightarrow \boxed{}$

생활 속 계산

🐻 일정한 빠르기로 수확한 무게와 걸린 시간을 보고 1분 동안 수확한 무게를 기약분수로 나타내세요.
(단, 계산 결과가 가분수이면 대분수로 나타냅니다.)

3-1

$4\frac{1}{5}$ 분이 걸렸어요.

27 kg

$$27 \div 4\frac{1}{5} = \boxed{} \ (\text{kg})$$

3-2

$3\frac{1}{3}$ 분이 걸렸어요.

25 kg

$$25 \div 3\frac{1}{3} = \boxed{} \ (\text{kg})$$

3-3

$6\frac{1}{6}$ 분이 걸렸어요.

32 kg

$$32 \div 6\frac{1}{6} = \boxed{} \ (\text{kg})$$

3-4

$5\frac{3}{4}$ 분이 걸렸어요.

45 kg

$$45 \div 5\frac{3}{4} = \boxed{} \ (\text{kg})$$

1주
5일

문장 읽고 계산식 세우기

4-1 일정한 빠르기로 걸어서 3 km를 가는 데 $1\frac{1}{4}$ 시간이 걸렸을 때 한 시간 동안 걸은 거리는 몇 km?

$$3 \div 1\frac{1}{4} = \boxed{} \ (\text{km})$$

식 _____

4-2 일정한 빠르기로 걸어서 2 km를 가는 데 $1\frac{2}{3}$ 시간이 걸렸을 때 한 시간 동안 걸은 거리는 몇 km?

$$2 \div \boxed{} = \boxed{} \ (\text{km})$$

식 _____

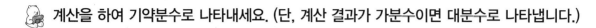

🐻 계산을 하여 기약분수로 나타내세요. (단, 계산 결과가 가분수이면 대분수로 나타냅니다.)

1 $\dfrac{5}{16} \div \dfrac{1}{16}$

2 $\dfrac{10}{11} \div \dfrac{5}{11}$

3 $\dfrac{15}{19} \div \dfrac{1}{19}$

4 $\dfrac{16}{23} \div \dfrac{4}{23}$

5 $\dfrac{7}{9} \div \dfrac{2}{9}$

6 $\dfrac{8}{35} \div \dfrac{3}{35}$

7 $\dfrac{9}{13} \div \dfrac{10}{13}$

8 $\dfrac{4}{17} \div \dfrac{11}{17}$

9 $\dfrac{5}{7} \div \dfrac{5}{14}$

10 $\dfrac{7}{8} \div \dfrac{7}{24}$

⑪ $\dfrac{4}{5} \div \dfrac{2}{25}$

⑫ $\dfrac{5}{6} \div \dfrac{5}{42}$

⑬ $18 \div \dfrac{2}{5}$

⑭ $24 \div \dfrac{6}{7}$

⑮ $36 \div \dfrac{4}{11}$

⑯ $25 \div \dfrac{5}{7}$

⑰ $9 \div \dfrac{4}{7}$

⑱ $25 \div \dfrac{10}{9}$

⑲ $14 \div 1\dfrac{4}{5}$

⑳ $15 \div 3\dfrac{1}{3}$

제한 시간 안에 정확하게 모두 풀었다면
여러분은 진정한 **계산왕**!

1주

평가

밀로의 비너스 조각상

 융합1 　밀로의 비너스 키를 구하세요. (단, 계산 결과가 가분수이면 대분수로 나타냅니다.)

(밀로의 비너스 키)=(상반신의 길이)÷$\frac{5}{13}$를
이용하여 비너스의 키를 기약분수로 나타냅니다.

식 $\frac{51}{65} \div \boxed{} = \boxed{}$

답 _____ m

컵케이크를 만들어요.

 창의 2 케이크 반죽을 주름진 컵 모양의 틀에 부은 후 오븐에 구워 컵케이크를 만들려고 합니다.

> 달콤한 컵케이크를 만들자.

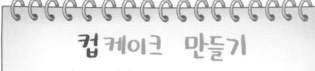

컵케이크 만들기

재료 : 밀가루 4컵
　　　 버터 40g
　　　 설탕 1½컵
　　　 베이킹 파우더 1T
　　　 달걀 2개
　　　 우유 ¾컵
　　　 생크림 ½컵

> 컵케이크 위에 과일로 장식도 해 보자.

1주
특강

(1)
> 밀가루의 양은 설탕의 양의 몇 배인지 기약분수로 나타내세요.
> (단, 계산 결과가 가분수이면 대분수로 나타냅니다.)

식 $4 \div 1\frac{1}{2} = \boxed{}$

답 _____ 배

(2)
> 우유의 양은 생크림의 양의 몇 배인지 기약분수로 나타내세요.
> (단, 계산 결과가 가분수이면 대분수로 나타냅니다.)

식 $\frac{3}{4} \div \frac{1}{2} = \boxed{}$

답 _____ 배

특강 창의·융합·코딩

융합 3 연료 1 L로 갈 수 있는 거리를 연비라고 합니다. 두 자동차가 연료 1 L로 갈 수 있는 거리를 기약분수로 나타내세요. (단, 계산 결과가 가분수이면 대분수로 나타냅니다.)

 연료 $2\frac{4}{7}$ L로 24 km의 거리를 갈 수 있습니다.

 연료 $1\frac{4}{11}$ L로 20 km의 거리를 갈 수 있습니다.

자동차	연료 1 L로 갈 수 있는 거리(km)
	$24 \div 2\frac{4}{7} = $ ☐ (km)
	$20 \div 1\frac{4}{11} = $ ☐ (km)

창의 4 사다리를 타고 내려가 도착한 곳에 계산 결과를 써넣으세요.

선을 따라 내려가다가 가로로 놓인 선을 만나면 가로선을 따라갑니다.

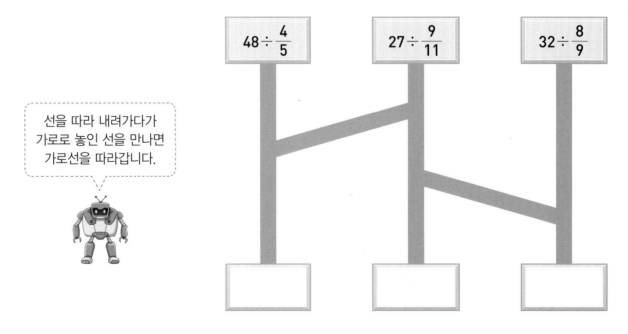

$48 \div \frac{4}{5}$　　$27 \div \frac{9}{11}$　　$32 \div \frac{8}{9}$

각 개인의 키에 적당한 체중을 표준체중이라고 합니다. 다음을 보고 물음에 답하세요.

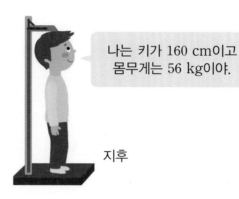

나는 키가 160 cm이고 몸무게는 56 kg이야.

지후

표준체중 구하기

$$(표준체중)=(키-100)÷1\frac{1}{9}$$

(1) 지후의 표준체중은 몇 kg인지 구하세요.

 지후의 키에서 100을 빼고 $1\frac{1}{9}$로 나누어 표준체중을 구합니다.

식 $(160-100)÷1\frac{1}{9}=60÷1\frac{1}{9}=\boxed{}$

답 _____ kg

(2) 지후가 표준체중이 되려면 몇 kg을 줄여야 하는지 구하세요.

 지후의 몸무게에서 (1)에서 구한 표준체중을 빼면 몇 kg을 줄여야 하는지 알 수 있습니다.

답 _____ kg

특강 창의·융합·코딩

코딩 6 보기 와 같이 로봇이 두 분수를 비교하여 계산을 합니다. 로봇이 말하는 기약분수를 알맞게 써넣으세요.

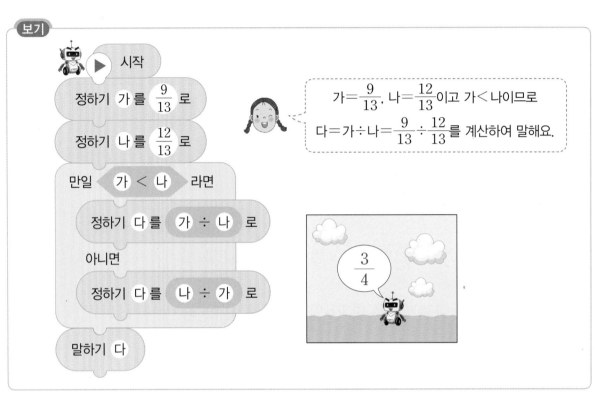

창의7 나눗셈식의 계산 결과가 맞으면 ➡ 방향으로, 틀리면 ⬇ 방향으로 가서 앨리스가 찾은 물건은 무엇인지 알아보세요.

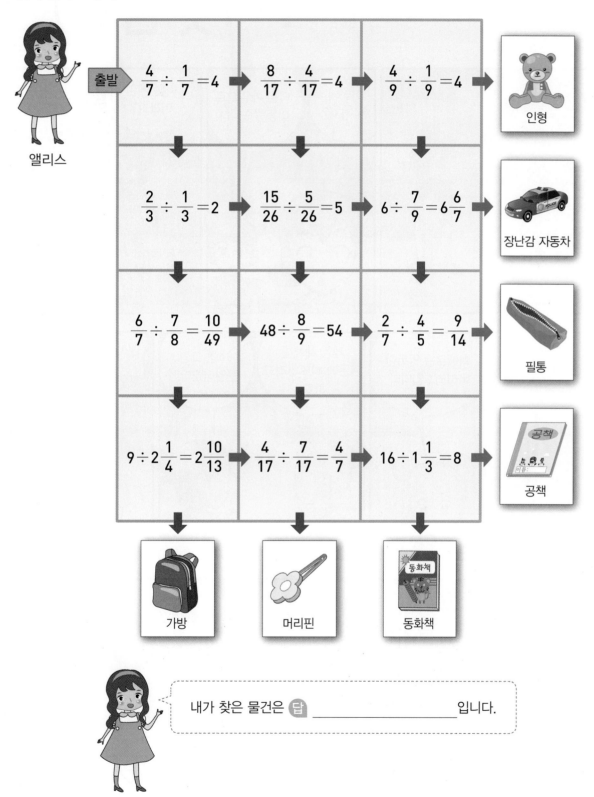

내가 찾은 물건은 답 _____ 입니다.

2주 분수의 나눗셈 (2) 소수의 나눗셈 (1)

어떻게 된 거지?

다른 게임으로 이동했습니다.

다른 게임 이라고?

네, 우린 삐에로의 함정에 빠졌습니다.

대체 그 삐에로는 누구야?

삐에로는 악독한 바이러스입니다.

게임 세계를 혼돈에 빠뜨리려고 하죠.

이런! 그럼 큰일이잖아!!

내가 그 바이러스를 막겠어!

그럴 필요 없습니다! 그 임무는 제가 맡고 있습니다.

플레이어는 무사히 게임에서 빠져 나가기만 하면 됩니다.

밥솥! 다시 삐에로를 찾아봐!

이미 찾고 있지!

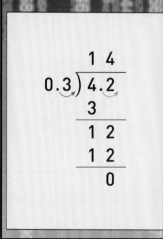

6-2 (진분수) ÷ (진분수)

삐에로야!
어서 계산식을
풀어.

$\div \dfrac{6}{7}$을 $\times \dfrac{7}{6}$로
바꾸어
계산하면 돼.

$\dfrac{3}{5} \div \dfrac{6}{7}$

나눗셈을 곱셈으로
나타내고 나누는 분수의
분모와 분자를
바꾸어 계산해요.

$$\dfrac{3}{5} \div \dfrac{6}{7} = \dfrac{\overset{1}{3}}{5} \times \dfrac{7}{\underset{2}{6}} = \dfrac{7}{10}$$

🐻 계산을 하여 기약분수로 나타내세요. (단, 계산 결과가 가분수이면 대분수로 나타냅니다.)

1-1 $\dfrac{4}{5} \div \dfrac{8}{9} = \dfrac{\overset{1}{4}}{5} \times \dfrac{\square}{\underset{2}{8}} = \dfrac{\square}{\square}$

1-2 $\dfrac{2}{5} \div \dfrac{7}{9} = \dfrac{2}{5} \times \dfrac{\square}{\square} = \dfrac{\square}{\square}$

1-3 $\dfrac{5}{6} \div \dfrac{7}{12}$

1-4 $\dfrac{7}{10} \div \dfrac{3}{4}$

6-1 (소수)÷(자연수)

소수의 나눗셈은 분수의
나눗셈으로 바꾸어
계산할 수 있어요.

$$8.4 \div 3 = \frac{84}{10} \div 3$$
$$= \frac{84 \div 3}{10} = \frac{28}{10} = 2.8$$

2주
1일

🐻 □ 안에 알맞은 수를 써넣으세요.

2-1 $5.6 \div 4 = \dfrac{\boxed{}}{10} \div 4 = \dfrac{\boxed{} \div 4}{10} = \dfrac{\boxed{}}{10} = \boxed{}$

2-2 $6.35 \div 5 = \dfrac{\boxed{}}{100} \div 5 = \dfrac{\boxed{} \div 5}{100} = \dfrac{\boxed{}}{100} = \boxed{}$

🐻 계산해 보세요.

3-1 $6 \overline{)16.2}$

3-2 $3 \overline{)5.88}$

(분수)÷(분수) ①

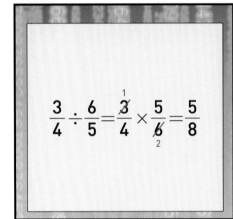  

똑똑한 하루 계산법

- (가분수)÷(진분수)

예) $\dfrac{10}{7} \div \dfrac{2}{3}$ 의 계산

$$\dfrac{10}{7} \div \dfrac{2}{3} = \dfrac{\overset{5}{10}}{7} \times \dfrac{3}{\underset{1}{2}} = \dfrac{15}{7} = 2\dfrac{1}{7}$$

- (진분수)÷(가분수)

예) $\dfrac{3}{4} \div \dfrac{6}{5}$ 의 계산

$$\dfrac{3}{4} \div \dfrac{6}{5} = \dfrac{3}{4} \times \dfrac{5}{\underset{2}{6}} = \dfrac{5}{8}$$

나눗셈을 곱셈으로
나타내고 나누는
분수의 분모와 분자를
바꾸어요.

○× 퀴즈

계산이 바르면 ○에,
틀리면 ✕에 ○표 하세요.

$$\dfrac{9}{8} \div \dfrac{4}{5} = \dfrac{9}{8} \times \dfrac{5}{4}$$
$$= \dfrac{45}{32}$$
$$= 1\dfrac{13}{32}$$

정답 ○에 ○표

📖 계산을 하여 기약분수로 나타내세요. (단, 계산 결과가 가분수이면 대분수로 나타냅니다.)

1 $\dfrac{12}{7} \div \dfrac{9}{10} = \dfrac{\overset{4}{\cancel{12}}}{7} \times \dfrac{\boxed{}}{\underset{3}{\cancel{9}}} = \dfrac{\boxed{}}{21} = \boxed{}\dfrac{\boxed{}}{21}$

계산 중간에 약분하여 기약분수로 나타내요.

2 $\dfrac{3}{4} \div \dfrac{15}{7} = \dfrac{\overset{\boxed{}}{\cancel{3}}}{4} \times \dfrac{7}{\underset{\boxed{}}{\cancel{15}}} = \dfrac{\boxed{}}{\boxed{}}$

3 $\dfrac{8}{5} \div \dfrac{5}{6}$

4 $\dfrac{2}{3} \div \dfrac{7}{5}$

5 $\dfrac{9}{7} \div \dfrac{3}{8}$

6 $\dfrac{4}{5} \div \dfrac{16}{7}$

7 $\dfrac{7}{4} \div \dfrac{5}{12}$

8 $\dfrac{20}{21} \div \dfrac{8}{3}$

9 $\dfrac{21}{8} \div \dfrac{7}{10}$

10 $\dfrac{2}{9} \div \dfrac{16}{5}$

(분수)÷(분수) ②

와우!! 성공이다!

라
닥!!

아직 끝난 게 아닌가 보네.

$\frac{7}{16} \div 2\frac{1}{3}$

뛰고 외쳐라

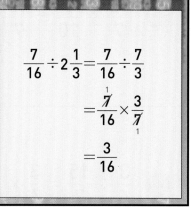

$$\frac{7}{16} \div 2\frac{1}{3} = \frac{7}{16} \div \frac{7}{3}$$
$$= \frac{\overset{1}{7}}{16} \times \frac{3}{\underset{1}{7}}$$
$$= \frac{3}{16}$$

자, 16번 뛰고,

똥

똥

3번 외치면
되겠지?

열려라, 참깨!
열려라, 참깨!
열려라, 참깨!

똑똑한 하루 계산법

• (대분수)÷(진분수)

㉠ $1\frac{5}{7} \div \frac{4}{5}$ 의 계산

$$1\frac{5}{7} \div \frac{4}{5} = \frac{12}{7} \div \frac{4}{5} = \frac{\overset{3}{12}}{7} \times \frac{5}{\underset{1}{4}} = \frac{15}{7} = 2\frac{1}{7}$$

└ 대분수를 가분수로 나타냅니다.

• (진분수)÷(대분수)

㉠ $\frac{7}{16} \div 2\frac{1}{3}$ 의 계산

$$\frac{7}{16} \div 2\frac{1}{3} = \frac{7}{16} \div \frac{7}{3} = \frac{\overset{1}{7}}{16} \times \frac{3}{\underset{1}{7}} = \frac{3}{16}$$

└ 대분수를 가분수로 나타냅니다.

대분수가 있는 나눗셈은
먼저 대분수를
가분수로 나타내요.

똑똑한 계산 연습

🐻 계산을 하여 기약분수로 나타내세요. (단, 계산 결과가 가분수이면 대분수로 나타냅니다.)

① $2\dfrac{1}{7} \div \dfrac{5}{8} = \dfrac{15}{7} \div \dfrac{5}{8} = \dfrac{\overset{\square}{15}}{7} \times \dfrac{\square}{\underset{1}{5}} = \dfrac{\square}{7} = \square\dfrac{\square}{7}$

② $\dfrac{3}{8} \div 1\dfrac{1}{6} = \dfrac{3}{8} \div \dfrac{\square}{6} = \dfrac{3}{\underset{4}{8}} \times \dfrac{\overset{\square}{6}}{\square} = \dfrac{\square}{\square}$

③ $1\dfrac{2}{3} \div \dfrac{3}{4}$

④ $\dfrac{2}{5} \div 2\dfrac{3}{4}$

⑤ $3\dfrac{3}{5} \div \dfrac{4}{7}$

⑥ $\dfrac{4}{5} \div 5\dfrac{1}{3}$

⑦ $2\dfrac{1}{4} \div \dfrac{6}{11}$

⑧ $\dfrac{5}{6} \div 3\dfrac{1}{8}$

⑨ $5\dfrac{1}{4} \div \dfrac{9}{16}$

⑩ $\dfrac{7}{15} \div 2\dfrac{1}{10}$

기초 집중 연습

🐻 빈칸에 알맞은 기약분수를 써넣으세요. (단, 계산 결과가 가분수이면 대분수로 나타냅니다.)

1-1
$$\frac{17}{9} \quad \div \frac{2}{3}$$

1-2
$$\frac{16}{5} \quad \div \frac{6}{7}$$

1-3
$$2\frac{3}{4} \quad \div \frac{5}{6}$$

1-4
$$3\frac{3}{7} \quad \div \frac{9}{14}$$

🐻 작은 수를 큰 수로 나눈 몫을 빈칸에 써넣으세요. (단, 계산 결과는 기약분수로 나타냅니다.)

2-1

$\frac{7}{11}$	$\frac{21}{8}$

2-2

$\frac{19}{12}$	$\frac{1}{6}$

2-3

$1\frac{1}{4}$	$\frac{5}{9}$

2-4

$\frac{3}{5}$	$2\frac{7}{10}$

생활 속 계산

주혁이네 모둠 친구들이 기르는 애완동물의 무게입니다. 무게가 서로 몇 배인지 기약분수로 나타내세요.
(단, 계산 결과가 가분수이면 대분수로 나타냅니다.)

동물	고양이	햄스터	토끼	고슴도치
무게	$\frac{15}{4}$ kg	$\frac{1}{5}$ kg	$2\frac{3}{10}$ kg	$\frac{9}{20}$ kg

3-1  는 의 □ 배

3-2  는 의 □ 배

3-3  는 의 □ 배

3-4  는 의 □ 배

문장 읽고 계산식 세우기

4-1

직사각형의 넓이가 $\frac{25}{8}$ m²이고 가로가 $\frac{5}{7}$ m일 때 세로는 몇 m?

$$\frac{25}{8} \div \frac{5}{7} = \boxed{} \text{(m)}$$

식 _____

4-2

평행사변형의 넓이가 $\frac{5}{6}$ m²이고 높이가 $1\frac{7}{8}$ m일 때 밑변의 길이는 몇 m?

$$\boxed{} \div \boxed{} = \boxed{} \text{(m)}$$

식 _____

2^일 (분수)÷(분수) ③

계단이다!

벽에 분수의 계산식이 있어.

이것도 함정을 피하는데 도움 되는 식이겠지!

$$\frac{6}{5} \div 2\frac{1}{4}$$

$$\frac{6}{5} \div 2\frac{1}{4} = \frac{6}{5} \div \frac{9}{4}$$
$$= \frac{\overset{2}{\cancel{6}}}{5} \times \frac{4}{\underset{3}{\cancel{9}}}$$
$$= \frac{8}{15}$$

하나, 둘……
여기 계단이 모두 15개예요.

멈춰!! 거기가 15계단 중 8번째 계단이야.

똑똑한 하루 계산법

• (대분수)÷(가분수)

㉠ $4\frac{2}{3} \div \frac{7}{4}$의 계산

$$4\frac{2}{3} \div \frac{7}{4} = \frac{14}{3} \div \frac{7}{4} = \frac{\overset{2}{\cancel{14}}}{3} \times \frac{4}{\underset{1}{\cancel{7}}} = \frac{8}{3} = 2\frac{2}{3}$$

대분수를 가분수로 나타냅니다.

대분수를 가분수로 나타낸 후 분수의 곱셈으로 나타내어 계산해요.

• (가분수)÷(대분수)

㉠ $\frac{6}{5} \div 2\frac{1}{4}$의 계산

$$\frac{6}{5} \div 2\frac{1}{4} = \frac{6}{5} \div \frac{9}{4} = \frac{\overset{2}{\cancel{6}}}{5} \times \frac{4}{\underset{3}{\cancel{9}}} = \frac{8}{15}$$

대분수를 가분수로 나타냅니다.

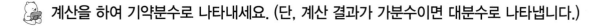
🐻 계산을 하여 기약분수로 나타내세요. (단, 계산 결과가 가분수이면 대분수로 나타냅니다.)

1 $1\dfrac{4}{5} \div \dfrac{3}{2} = \dfrac{9}{5} \div \dfrac{3}{2} = \dfrac{\cancel{9}^{3}}{5} \times \dfrac{\boxed{}}{\cancel{3}_{\boxed{}}} = \dfrac{\boxed{}}{5} = \boxed{}\dfrac{\boxed{}}{5}$

2 $\dfrac{9}{4} \div 1\dfrac{3}{8} = \dfrac{9}{4} \div \dfrac{\boxed{}}{8} = \dfrac{9}{\cancel{4}_{1}} \times \dfrac{\cancel{8}^{\boxed{}}}{\boxed{}} = \dfrac{18}{\boxed{}} = \boxed{}\dfrac{\boxed{}}{\boxed{}}$

3 $1\dfrac{2}{5} \div \dfrac{4}{3}$

4 $\dfrac{5}{3} \div 4\dfrac{1}{2}$

5 $3\dfrac{5}{9} \div \dfrac{12}{5}$

6 $\dfrac{15}{8} \div 1\dfrac{3}{7}$

7 $3\dfrac{9}{10} \div \dfrac{13}{8}$

8 $\dfrac{24}{7} \div 5\dfrac{1}{3}$

9 $2\dfrac{5}{8} \div \dfrac{35}{4}$

10 $\dfrac{33}{5} \div 1\dfrac{5}{6}$

2주
2일

• **57**

(분수)÷(분수) ④

똑똑한 하루 계산법

• (대분수)÷(대분수)

예) $2\frac{1}{7} \div 1\frac{1}{4}$의 계산

$$2\frac{1}{7} \div 1\frac{1}{4} = \frac{15}{7} \div \frac{5}{4}$$ → 대분수를 가분수로 나타냅니다.

$$= \frac{\overset{3}{15}}{7} \times \frac{4}{\underset{1}{5}}$$ → 분수의 곱셈으로 나타낸 후 약분합니다.

$$= \frac{12}{7} = 1\frac{5}{7}$$ → 계산 결과가 가분수이면 대분수로 나타냅니다.

 (대분수)÷(대분수)는 반드시 대분수를 가분수로 나타내어 계산해야 해요.

 ○✕ 퀴즈

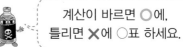 계산이 바르면 ○에, 틀리면 ✕에 ○표 하세요.

$$2\frac{3}{10} \div 1\frac{3}{5}$$
$$= 2\frac{\overset{1}{3}}{\underset{2}{10}} \times 1\frac{\overset{1}{5}}{\underset{1}{3}} = 2\frac{1}{2}$$

정답 ✕에 ○표

🐻 계산을 하여 기약분수로 나타내세요. (단, 계산 결과가 가분수이면 대분수로 나타냅니다.)

1 $1\dfrac{1}{9} \div 1\dfrac{5}{12} = \dfrac{10}{9} \div \dfrac{\boxed{}}{12} = \dfrac{10}{\underset{3}{\cancel{9}}} \times \dfrac{\overset{\boxed{}}{\cancel{12}}}{\boxed{}} = \dfrac{\boxed{}}{51}$

2 $3\dfrac{1}{4} \div 1\dfrac{3}{8} = \dfrac{13}{4} \div \dfrac{11}{8} = \dfrac{\boxed{}}{\underset{1}{\cancel{4}}} \times \dfrac{\overset{2}{\cancel{8}}}{\boxed{}} = \dfrac{\boxed{}}{\boxed{}} = \boxed{}\dfrac{\boxed{}}{\boxed{}}$

3 $1\dfrac{3}{5} \div 1\dfrac{2}{3}$

4 $2\dfrac{3}{4} \div 2\dfrac{2}{3}$

5 $2\dfrac{1}{2} \div 1\dfrac{1}{6}$

6 $1\dfrac{5}{8} \div 5\dfrac{1}{5}$

7 $3\dfrac{1}{7} \div 1\dfrac{7}{9}$

8 $3\dfrac{1}{9} \div 1\dfrac{1}{6}$

9 $3\dfrac{1}{5} \div 1\dfrac{5}{9}$

10 $6\dfrac{2}{3} \div 4\dfrac{1}{6}$

2주
2일

기초 집중 연습

🐻 빈칸에 알맞은 기약분수를 써넣으세요. (단, 계산 결과가 가분수이면 대분수로 나타냅니다.)

1-1

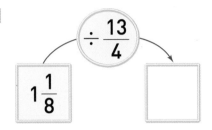

1-2

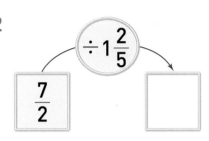

1-3

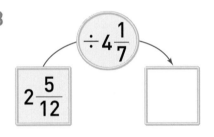

1-4

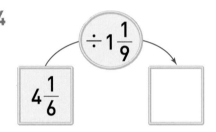

🐻 관계있는 것끼리 선으로 이어 보세요.

2-1

$2\dfrac{8}{9} \div \dfrac{13}{5}$ •

$\dfrac{7}{6} \div 1\dfrac{3}{11}$ •

• $1\dfrac{1}{9}$

• $1\dfrac{1}{6}$

• $\dfrac{11}{12}$

2-2

$1\dfrac{1}{15} \div 3\dfrac{1}{3}$ •

$2\dfrac{1}{12} \div 2\dfrac{1}{4}$ •

• $1\dfrac{8}{27}$

• $\dfrac{25}{27}$

• $\dfrac{8}{25}$

생활 속 계산

🐻 자동차를 타고 구간별로 일정한 빠르기로 달렸습니다. 각 구간에서 1분 동안 달린 거리는 몇 km인지 기약분수로 나타내세요. (단, 계산 결과가 가분수이면 대분수로 나타냅니다.)

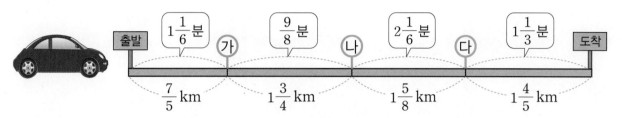

3-1 출발 ~ 가

$$\Rightarrow \frac{7}{5} \div 1\frac{1}{6} = \boxed{} \text{ (km)}$$

3-2 가 ~ 나

$$\Rightarrow 1\frac{3}{4} \div \frac{9}{8} = \boxed{} \text{ (km)}$$

3-3 나 ~ 다

$$\Rightarrow 1\frac{5}{8} \div 2\frac{1}{6} = \boxed{} \text{ (km)}$$

3-4 다 ~ 도착

$$\Rightarrow 1\frac{4}{5} \div 1\frac{1}{3} = \boxed{} \text{ (km)}$$

2주
2일

문장 읽고 계산식 세우기

4-1

굵기가 일정한 나무막대 $\frac{13}{9}$ m의 무게가 $2\frac{3}{5}$ kg일 때 이 나무막대 1 m의 무게는 몇 kg?

$$2\frac{3}{5} \div \frac{13}{9} = \boxed{} \text{ (kg)}$$

식 _____

4-2

굵기가 일정한 쇠막대 $1\frac{1}{14}$ m의 무게가 $3\frac{4}{7}$ kg일 때 이 쇠막대 1 m 의 무게는 몇 kg?

$$3\frac{4}{7} \div \boxed{} = \boxed{} \text{ (kg)}$$

식 _____

세 수의 계산 ①

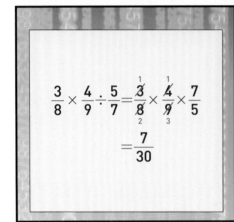

똑똑한 하루 계산법

• 세 수의 곱셈과 나눗셈

예 $\dfrac{3}{8} \times \dfrac{4}{9} \div \dfrac{5}{7}$ 의 계산

$$\dfrac{3}{8} \times \dfrac{4}{9} \div \dfrac{5}{7} = \dfrac{\overset{1}{\cancel{3}}}{\cancel{8}_{2}} \times \dfrac{\overset{1}{\cancel{4}}}{\cancel{9}_{3}} \times \dfrac{7}{5} = \dfrac{7}{30}$$

 나눗셈을 곱셈으로 나타내고 분수의 분모와 분자를 바꾼 후 한꺼번에 약분하여 계산하는 방법입니다.

예 $8 \div 1\dfrac{4}{5} \times \dfrac{3}{4}$ 의 계산

$$8 \div 1\dfrac{4}{5} \times \dfrac{3}{4} = 8 \div \dfrac{9}{5} \times \dfrac{3}{4} = \overset{2}{\cancel{8}} \times \dfrac{5}{\cancel{9}_{3}} \times \dfrac{\overset{1}{\cancel{3}}}{\cancel{4}_{1}} = \dfrac{10}{3} = 3\dfrac{1}{3}$$

대분수를 가분수로 나타냅니다.

똑똑한 계산 연습

🐻 계산을 하여 기약분수로 나타내세요. (단, 계산 결과가 가분수이면 대분수로 나타냅니다.)

1 $1\dfrac{1}{6} \times \dfrac{4}{5} \div \dfrac{7}{8} = \dfrac{\square}{6} \times \dfrac{4}{5} \div \dfrac{7}{8} = \dfrac{\square}{6} \times \dfrac{4}{5} \times \dfrac{\square}{\square} = \dfrac{\square}{15} = \square\dfrac{\square}{15}$

2 $\dfrac{4}{13} \div 2\dfrac{2}{3} \times 5\dfrac{1}{5} = \dfrac{4}{13} \div \dfrac{\square}{3} \times \dfrac{\square}{5} = \dfrac{4}{13} \times \dfrac{3}{\square} \times \dfrac{\square}{5} = \dfrac{\square}{5}$

3 $\dfrac{10}{21} \times \dfrac{7}{9} \div \dfrac{2}{5}$

4 $\dfrac{4}{7} \div \dfrac{3}{28} \times \dfrac{3}{5}$

5 $1\dfrac{2}{9} \times 2\dfrac{1}{12} \div \dfrac{5}{18}$

6 $1\dfrac{1}{20} \div 4\dfrac{2}{3} \times 3$

7 $\dfrac{11}{15} \times \dfrac{3}{7} \div 2\dfrac{3}{4}$

8 $1\dfrac{8}{9} \div \dfrac{7}{10} \times \dfrac{6}{17}$

9 $3\dfrac{5}{9} \times 5 \div 2\dfrac{2}{3}$

10 $2\dfrac{1}{2} \div 3\dfrac{1}{8} \times 1\dfrac{1}{3}$

2주 3일

세 수의 계산 ②

똑똑한 하루 계산법

• **세 수의 나눗셈**

예 $2\dfrac{2}{5} \div \dfrac{8}{9} \div 3$의 계산

$$2\dfrac{2}{5} \div \dfrac{8}{9} \div 3 = \dfrac{12}{5} \div \dfrac{8}{9} \div 3 = \dfrac{\overset{3}{\cancel{12}}}{5} \times \dfrac{\overset{3}{\cancel{9}}}{\underset{2}{\cancel{8}}} \times \dfrac{1}{\underset{1}{\cancel{3}}} = \dfrac{9}{10}$$

↑ 대분수를 가분수로 나타냅니다.

> **참고**
>
> 앞에서부터 두 수씩 계산할 수도 있습니다.
>
> $$2\dfrac{2}{5} \div \dfrac{8}{9} \div 3 = \left(\dfrac{\overset{3}{\cancel{12}}}{5} \times \dfrac{9}{\underset{2}{\cancel{8}}} \right) \div 3 = \dfrac{\overset{9}{\cancel{27}}}{10} \times \dfrac{1}{\underset{1}{\cancel{3}}} = \dfrac{9}{10}$$

 $\div 3$은 $\times \dfrac{1}{3}$로 바꾸어 계산해요.

🐻 계산을 하여 기약분수로 나타내세요. (단, 계산 결과가 가분수이면 대분수로 나타냅니다.)

1 $\dfrac{3}{4} \div \dfrac{2}{3} \div \dfrac{5}{6} = \dfrac{3}{4} \times \dfrac{\square}{2} \times \dfrac{\square}{\square} = \dfrac{\square}{20} = \square\dfrac{\square}{20}$

2 $3\dfrac{1}{3} \div \dfrac{5}{8} \div \dfrac{7}{9} = \dfrac{\square}{3} \div \dfrac{5}{8} \div \dfrac{7}{9} = \dfrac{\square}{3} \times \dfrac{8}{5} \times \dfrac{\square}{\square} = \dfrac{\square}{7} = \square\dfrac{\square}{7}$

3 $\dfrac{7}{12} \div \dfrac{3}{10} \div \dfrac{3}{4}$

4 $\dfrac{5}{8} \div \dfrac{11}{16} \div \dfrac{3}{5}$

5 $6 \div \dfrac{3}{7} \div 1\dfrac{3}{5}$

6 $2\dfrac{8}{9} \div 4 \div \dfrac{2}{3}$

7 $2\dfrac{1}{10} \div 1\dfrac{4}{5} \div 9$

8 $5\dfrac{1}{5} \div \dfrac{1}{4} \div \dfrac{13}{15}$

9 $2\dfrac{4}{5} \div 9\dfrac{1}{3} \div 1\dfrac{3}{10}$

10 $3\dfrac{1}{6} \div \dfrac{7}{12} \div 3\dfrac{4}{5}$

보기 와 같이 계산해 보세요. (단, 계산 결과가 가분수이면 대분수로 나타냅니다.)

보기

$$\frac{5}{42} \div \frac{3}{16} \times 1\frac{2}{5} = \frac{5}{\overset{}{\underset{21}{42}}} \times \frac{\overset{8}{16}}{3} \times 1\frac{2}{5} = \frac{\overset{8}{40}}{\underset{9}{63}} \times \frac{\overset{1}{7}}{\underset{1}{5}} = \frac{8}{9}$$

1-1 $\dfrac{9}{10} \div \dfrac{3}{7} \times 1\dfrac{5}{6}$

1-2 $\dfrac{3}{4} \div \dfrac{6}{7} \times 3\dfrac{1}{5}$

빈칸에 알맞은 기약분수를 써넣으세요. (단, 계산 결과가 가분수이면 대분수로 나타냅니다.)

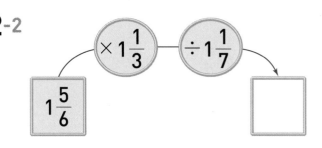

2-1 $\dfrac{8}{15}$ $\times \dfrac{3}{5}$ $\div \dfrac{2}{7}$ □

2-2 $1\dfrac{5}{6}$ $\times 1\dfrac{1}{3}$ $\div 1\dfrac{1}{7}$ □

2-3 $\dfrac{27}{32}$ $\div \dfrac{5}{8}$ $\times \dfrac{1}{18}$ □

2-4 $1\dfrac{2}{3}$ $\div 2\dfrac{2}{7}$ $\times \dfrac{4}{5}$ □

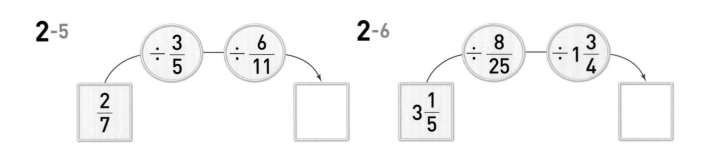

2-5 $\dfrac{2}{7}$ $\div \dfrac{3}{5}$ $\div \dfrac{6}{11}$ □

2-6 $3\dfrac{1}{5}$ $\div \dfrac{8}{25}$ $\div 1\dfrac{3}{4}$ □

생활 속 계산

🐻 한 모둠에서 캔 감자의 무게입니다. 각 모둠별로 일정한 빠르기로 캤을 때 한 사람이 1시간에 몇 kg씩 캤는지 기약분수로 나타내세요. (단, 계산 결과가 가분수이면 대분수로 나타냅니다.)

3-1

$6\frac{3}{10}$ kg

4명이 $1\frac{1}{6}$ 시간씩 캤어요.

$$6\frac{3}{10} \div 4 \div 1\frac{1}{6} = \boxed{} \text{ (kg)}$$

3-2

$15\frac{1}{8}$ kg

3명이 $1\frac{5}{6}$ 시간씩 캤어요.

$$15\frac{1}{8} \div 3 \div 1\frac{5}{6} = \boxed{} \text{ (kg)}$$

3-3

$9\frac{1}{6}$ kg

5명이 $1\frac{2}{3}$ 시간씩 캤어요.

$\boxed{}$ kg

3-4

$23\frac{1}{3}$ kg

6명이 $1\frac{2}{5}$ 시간씩 캤어요.

$\boxed{}$ kg

2주
3일

문장 읽고 계산식 세우기

4-1

삼각형의 넓이가 $\frac{7}{12}$ m²이고 밑변의 길이가 $\frac{3}{4}$ m일 때 높이는 몇 m?

$$\frac{7}{12} \times 2 \div \frac{3}{4} = \boxed{} \text{ (m)}$$

식 _____

4-2

삼각형의 넓이가 $\frac{24}{25}$ m²이고 높이가 $\frac{8}{9}$ m일 때 밑변의 길이는 몇 m?

$$\frac{24}{25} \times 2 \div \boxed{} = \boxed{} \text{ (m)}$$

식 _____

똑똑한 하루 계산법

• 4.2÷0.3의 계산 방법

방법 1 분수의 나눗셈으로 바꾸어 계산하기

$$4.2 \div 0.3 = \frac{42}{10} \div \frac{3}{10} = 42 \div 3 = 14$$

분모가 10인 분수로 바꾸기

방법 2 자연수의 나눗셈을 이용하여 계산하기

10배

$$4.2 \div 0.3 = 14 \Rightarrow 42 \div 3 = 14$$

10배

4.2÷0.3의 몫은 4.2와 0.3에 똑같이 10을 곱한 42÷3의 몫과 같아요.

○✗ 퀴즈

계산이 바르면 ○에, 틀리면 ✗에 ○표 하세요.

$$84 \div 7 = 12$$
$$\Rightarrow 8.4 \div 0.7 = 1.2$$

 ○   ✗

정답 ✗에 ○표

똑똑한 계산 연습

🐻 계산해 보세요.

1 $3.2 \div 0.8 = \dfrac{32}{10} \div \dfrac{\square}{10} = \square \div \square = \square$

2 $4.8 \div 1.2 = \dfrac{\square}{10} \div \dfrac{12}{10} = \square \div \square = \square$

3 $9.6 \div 0.6 = \dfrac{\square}{10} \div \dfrac{\square}{10} = \square \div \square = \square$

4 $23.8 \div 1.4 = \dfrac{\square}{10} \div \dfrac{\square}{10} = \square \div \square = \square$

5 $3.5 \div 0.5$

6 $5.4 \div 1.8$

7 $7.4 \div 0.2$

8 $10.4 \div 1.3$

9 $16.1 \div 0.7$

10 $36.4 \div 2.6$

2주
4일

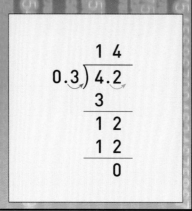

똑똑한 하루 계산법

• 4.2÷0.3을 세로로 계산하기

$$0.3 \overline{) 4.2} \Rightarrow 3 \overline{) 4\ 2}$$

$$
\begin{array}{r}
1\ 4 \\
3\overline{)4\ 2} \\
3 \\
\hline
1\ 2 \\
1\ 2 \\
\hline
0
\end{array}
$$

나누는 수와 나누어지는 수의 소수점을 각각 오른쪽으로
한 자리씩 옮겨서 (자연수)÷(자연수)로 계산해요.
이때 몫의 소수점의 위치는 옮긴 소수점의 위치와 같아요.

○× 퀴즈

계산이 바르면 ○에,
틀리면 ✕에 ○표 하세요.

$$
\begin{array}{r}
1.7 \\
0.4\overline{)6.8} \\
4 \\
\hline
2\ 8 \\
2\ 8 \\
\hline
0
\end{array}
$$

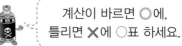

○   ✕

똑똑한 계산 연습

🐻 계산해 보세요.

❶ $0.8\,)\overline{\,5.6\,}$

❷ $1.5\,)\overline{\,4.5\,}$

❸ $2.3\,)\overline{\,9.2\,}$

❹ $0.3\,)\overline{\,5.7\,}$

❺ $0.4\,)\overline{\,9.6\,}$

❻ $0.6\,)\overline{\,7.8\,}$

❼ $0.7\,)\overline{\,1\,1.9\,}$

❽ $0.9\,)\overline{\,1\,2.6\,}$

❾ $0.5\,)\overline{\,1\,6.5\,}$

❿ $1.4\,)\overline{\,1\,6.8\,}$

⓫ $1.6\,)\overline{\,4\,4.8\,}$

⓬ $3.8\,)\overline{\,9\,8.8\,}$

기초 집중 연습

 자연수의 나눗셈을 이용하여 소수의 나눗셈을 계산해 보세요.

1-1 $16 \div 2 = \boxed{} \Rightarrow 1.6 \div 0.2 = \boxed{}$

1-2 $56 \div 4 = \boxed{} \Rightarrow 5.6 \div 0.4 = \boxed{}$

(소수 한 자리 수)÷(소수 한 자리 수)는 나누어지는 수와 나누는 수를 똑같이 10배한 (자연수)÷(자연수)와 몫이 같아요.

1-3 $72 \div 24 = \boxed{} \Rightarrow 7.2 \div 2.4 = \boxed{}$

1-4 $204 \div 17 = \boxed{} \Rightarrow 20.4 \div 1.7 = \boxed{}$

 빈칸에 알맞은 수를 써넣으세요.

2-1 $\boxed{4.2}\ \boxed{\div 0.6}\ \boxed{}$

2-2 $\boxed{10.8}\ \boxed{\div 1.8}\ \boxed{}$

2-3 $\boxed{13.5}\ \boxed{\div 0.9}\ \boxed{}$

2-4 $\boxed{47.6}\ \boxed{\div 2.8}\ \boxed{}$

생활 속 계산

🐻 주어진 리본 끈을 친구들이 똑같이 나누어 가졌을 때, 몇 명이 나누어 가졌는지 구하세요.

3-1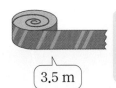
3.5 m

한 명이
0.7 m씩
가졌어요.

3.5 ÷ 0.7 = ☐ (명)

3-2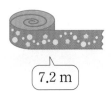
7.2 m

한 명이
0.4 m씩
가졌어요.

7.2 ÷ 0.4 = ☐ (명)

3-3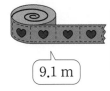
9.1 m

한 명이
1.3 m씩
가졌어요.

☐ 명

3-4
31.2 m

한 명이
2.6 m씩
가졌어요.

☐ 명

2주
4일

문장 읽고 계산식 세우기

4-1
주스 1.8 L를 한 컵에 0.3 L씩 담으려면 필요한 컵은 몇 개?

식 1.8 ÷ 0.3 = ☐ (개)

4-2
약수 20.4 L를 한 병에 1.2 L씩 담으려면 필요한 병은 몇 개?

식 ☐ ÷ ☐ = ☐ (개)

4-3
호두는 10.8 kg, 땅콩은 2.7 kg 있을 때 호두 무게는 땅콩 무게의 몇 배?

식 10.8 ÷ 2.7 = ☐ (배)

호두 무게 ─ ┘ └─ 땅콩 무게

4-4
아몬드는 19.6 kg, 밤은 1.4 kg 있을 때 아몬드 무게는 밤 무게의 몇 배?

식 ☐ ÷ ☐ = ☐ (배)

똑똑한 하루 계산법

• 3.12÷0.24의 계산 방법

방법 1 분수의 나눗셈으로 바꾸어 계산하기

$$3.12 \div 0.24 = \frac{312}{100} \div \frac{24}{100} = 312 \div 24 = 13$$

분모가 100인 분수로 바꾸기

방법 2 자연수의 나눗셈을 이용하여 계산하기

100배

$$3.12 \div 0.24 = 13 \Rightarrow 312 \div 24 = 13$$

100배

○✕ 퀴즈

계산이 바르면 ○에, 틀리면 ✕에 ○표 하세요.

$$492 \div 82 = 6$$
$$\Rightarrow 4.92 \div 0.82 = 6$$

정답 ○에 ○표

📖 계산해 보세요.

1 $2.52 \div 0.42 = \dfrac{252}{100} \div \dfrac{\boxed{}}{100} = \boxed{} \div \boxed{} = \boxed{}$

2 $8.65 \div 1.73 = \dfrac{\boxed{}}{100} \div \dfrac{173}{100} = \boxed{} \div \boxed{} = \boxed{}$

3 $6.72 \div 0.56 = \dfrac{\boxed{}}{100} \div \dfrac{\boxed{}}{100} = \boxed{} \div \boxed{} = \boxed{}$

4 $20.85 \div 1.39 = \dfrac{\boxed{}}{100} \div \dfrac{\boxed{}}{100} = \boxed{} \div \boxed{} = \boxed{}$

5 $0.28 \div 0.04$

6 $6.45 \div 1.29$

7 $1.98 \div 0.33$

8 $18.97 \div 2.71$

9 $11.48 \div 0.82$

10 $72.76 \div 4.28$

2주
5일

(소수 두 자리 수)÷(소수 두 자리 수) ②

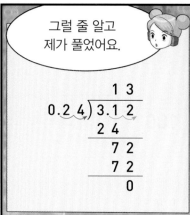

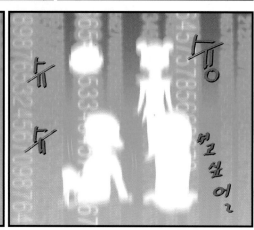

똑똑한 하루 계산법

• 3.12÷0.24를 세로로 계산하기

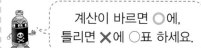

나누는 수와 나누어지는 수의 소수점을 각각 오른쪽으로
두 자리씩 옮겨서 (자연수)÷(자연수)로 계산해요.

○✕ 퀴즈

계산이 바르면 ○에,
틀리면 ✕에 ○표 하세요.

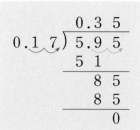

○   ✕

정답 ✕에 ○표

계산해 보세요.

1 0.09⟌0.27

2 0.16⟌1.28

3 1.07⟌9.63

4 0.32⟌5.12

5 0.83⟌9.96

6 0.25⟌6.75

7 0.59⟌11.21

8 1.64⟌18.04

9 3.17⟌41.21

10 6.82⟌95.48

2주
5일

🐻 자연수의 나눗셈을 이용하여 소수의 나눗셈을 계산해 보세요.

1-1 $56 \div 7 = \boxed{} \Rightarrow 0.56 \div 0.07 = \boxed{}$

1-2 $72 \div 12 = \boxed{} \Rightarrow 0.72 \div 0.12 = \boxed{}$

1-3 $228 \div 19 = \boxed{} \Rightarrow 2.28 \div 0.19 = \boxed{}$

> (소수 두 자리 수)÷(소수 두 자리 수)는 나누어지는 수와 나누는 수를 똑같이 100배한 (자연수)÷(자연수)와 몫이 같아요.

1-4 $1845 \div 123 = \boxed{} \Rightarrow 18.45 \div 1.23 = \boxed{}$

🐻 빈칸에 알맞은 수를 써넣으세요.

2-1 $2.16 \rightarrow \boxed{\div 0.08} \rightarrow \boxed{}$

2-2 $3.87 \rightarrow \boxed{\div 0.43} \rightarrow \boxed{}$

2-3 $4.62 \rightarrow \boxed{\div 1.54} \rightarrow \boxed{}$

2-4 $36.68 \rightarrow \boxed{\div 2.62} \rightarrow \boxed{}$

생활 속 계산

상자에 담겨 있는 채소의 무게를 보고 각 상자에 담긴 채소는 몇 개인지 구하세요. (단, 채소 1개의 무게는 종류별로 각각 같습니다.)

3-1

0.24 kg

$1.92 \div 0.24 = \square$ (개)

3-2

0.18 kg

$4.32 \div 0.18 = \square$ (개)

3-3

0.33 kg

$\square$ 개

3-4

1.27 kg

$\square$ 개

문장 읽고 계산식 세우기

4-1

자전거로 1분에 0.14 km씩 갈 때 1.12 km를 가려면 걸리는 시간은 몇 분?

식 $1.12 \div 0.14 = \square$ (분)

4-2

퀵보드로 1분에 0.49 km씩 갈 때 7.35 km를 가려면 걸리는 시간은 몇 분?

식 $7.35 \div \square = \square$ (분)

4-3

둘레가 1.52 m인 정다각형의 한 변의 길이가 0.38 m일 때 변은 몇 개?

식 $1.52 \div \square = \square$ (개)

4-4

둘레가 2.16 m인 정다각형의 한 변의 길이가 0.27 m일 때 변은 몇 개?

식 $\square \div \square = \square$ (개)

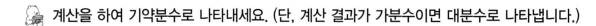 계산을 하여 기약분수로 나타내세요. (단, 계산 결과가 가분수이면 대분수로 나타냅니다.)

1 $\dfrac{5}{3} \div \dfrac{3}{4}$

2 $\dfrac{7}{12} \div \dfrac{14}{9}$

3 $3\dfrac{1}{5} \div \dfrac{4}{7}$

4 $\dfrac{3}{8} \div 2\dfrac{2}{5}$

5 $3\dfrac{1}{2} \div \dfrac{13}{8}$

6 $\dfrac{42}{11} \div 2\dfrac{4}{5}$

7 $6\dfrac{2}{3} \div 1\dfrac{7}{9}$

8 $3\dfrac{1}{3} \times 6 \div 2\dfrac{1}{4}$

9 $2\dfrac{5}{6} \div \dfrac{17}{18} \times 1\dfrac{3}{4}$

10 $4\dfrac{2}{5} \div 2\dfrac{1}{6} \div 8\dfrac{1}{4}$

계산해 보세요.

⑪ $0.7 \overline{)4.9}$

⑫ $1.2 \overline{)1\,0.8}$

⑬ $2.8 \overline{)6\,7.2}$

⑭ $0.3\,6 \overline{)2.1\,6}$

⑮ $0.7\,4 \overline{)9.6\,2}$

⑯ $1.4\,3 \overline{)2\,1.4\,5}$

⑰ $8.4 \div 0.6$

⑱ $19.2 \div 2.4$

⑲ $8.64 \div 0.32$

⑳ $39.48 \div 3.29$

 제한 시간 안에 정확하게 모두 풀었다면
여러분은 진정한 **계산왕!**

그림자의 길이

 호범이의 그림자 길이는 키의 몇 배인지 알아보세요.

 내 키는 1.6 m예요. 아침과 점심에 그림자의 길이는 각각 키의 몇 배인지 알아보세요.

아침	그림자 길이: 9.6 m	9.6÷1.6=☐ (배)
점심	그림자 길이: 3.2 m	3.2÷1.6=☐ (배)

도둑을 잡아라!

 주어진 단서를 이용하여 삐에로의 황금 열쇠를 가져간 범인을 알아보세요.

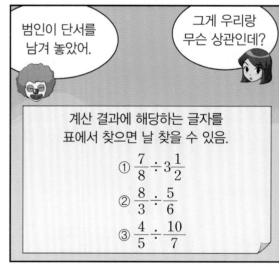

계산 결과에 해당하는 글자를 표에서 찾으면 날 찾을 수 있음.

① $\frac{7}{8} \div 3\frac{1}{2}$

② $\frac{8}{3} \div \frac{5}{6}$

③ $\frac{4}{5} \div \frac{10}{7}$

① $\frac{7}{8} \div 3\frac{1}{2} = \boxed{}$

② $\frac{8}{3} \div \frac{5}{6} = \boxed{}$

③ $\frac{4}{5} \div \frac{10}{7} = \boxed{}$

$3\frac{1}{5}$	$3\frac{1}{4}$	$\frac{1}{4}$	$\frac{1}{6}$	$\frac{14}{25}$
도	범	나	강	둑

범인은 ⓵ ⓶ ⓷ $\boxed{}$ $\boxed{}$ $\boxed{}$ 입니다.

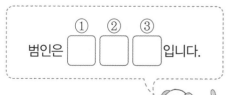

창의 **3** 초가집은 갈대나 볏집 등으로 지붕을 인 집입니다. 다음과 같이 초가집 미니어처를 만들려고 합니다.

실물과 같은 모양으로 만든 작은 모형

둘레가 $25\frac{1}{2}$ cm인 원 모양의 울타리에 $\frac{3}{4}$ cm마다 기둥을 세운다면 기둥은 몇 개 세워야 할까요?

답 _____ 개

창의 **4** 금도끼의 무게는 은도끼의 무게의 몇 배인지 기약분수로 나타내세요. (단, 계산 결과가 가분수이면 대분수로 나타냅니다.)

신령님!
도끼의 무게는
각각 몇 kg인가요?

금도끼의 무게는
$5\frac{4}{9}$ kg이고
은도끼의 무게는
$4\frac{3}{8}$ kg이란다.

답 _____ 배

▶ 정답 및 풀이 **14쪽**

융합 5 금 1돈은 3.75 g입니다. 금 18.75 g으로 황금 열쇠를 만들었을 때, 황금 열쇠는 금 몇 돈일까요?

> 금은 화폐뿐만 아니라 컴퓨터, 휴대폰에서도 필요한 금속으로 우리나라에서는 기념일 선물로 황금 열쇠를 주기도 합니다.

답 _____ 돈

2주

특강

융합 6 치즈와 우유에 들어 있는 콜레스테롤 함유량이 다음과 같습니다. 치즈 100 g에 들어 있는 콜레스테롤 함유량은 우유 100 g에 들어 있는 콜레스테롤 함유량의 몇 배일까요?

음식	치즈	우유
100 g에 들어 있는 콜레스테롤 함유량	72.8 mg	10.4 mg

> mg는 '밀리그램'이라고 읽으며 1 mg＝0.001 g 입니다.

답 _____ 배

특강 창의·융합·코딩

창의 7 사다리 타기는 줄을 타고 내려가다가 가로로 놓인 선을 만나면 가로선을 따라 맨 아래까지 내려가는 놀이입니다. 선을 따라 가면서 만나는 계산 방법에 따라 도착한 곳에 계산 결과를 써넣으세요.

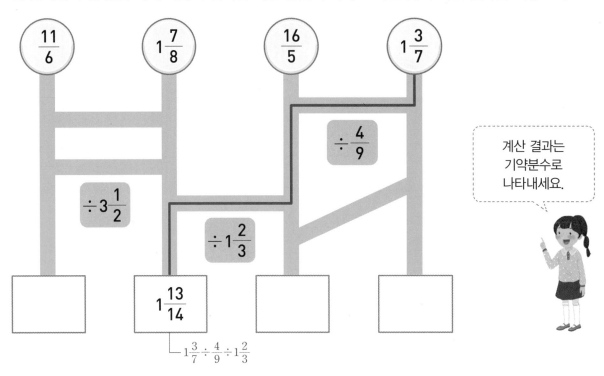

$\dfrac{11}{6}$ $1\dfrac{7}{8}$ $\dfrac{16}{5}$ $1\dfrac{3}{7}$

$\div \dfrac{4}{9}$

계산 결과는 기약분수로 나타내세요.

$\div 3\dfrac{1}{2}$

$\div 1\dfrac{2}{3}$

$1\dfrac{13}{14}$

$\overline{}1\dfrac{3}{7} \div \dfrac{4}{9} \div 1\dfrac{2}{3}$

창의 8 수석 받침대 한 개를 만드는 데 $1\dfrac{1}{6}$ 시간이 걸립니다. 같은 빠르기로 하루에 $9\dfrac{1}{3}$ 시간씩 일주일 동안 만든다면 똑같은 수석 받침대를 모두 몇 개 만들 수 있을까요?

풍화나 침식 등 자연적인 작용으로 이루어진 여러 모양의 작은 돌을 수석이라고 합니다.

답 _____ 개

순서도를 보고 보기 와 같이 출력된 기약분수를 구하세요.

보기

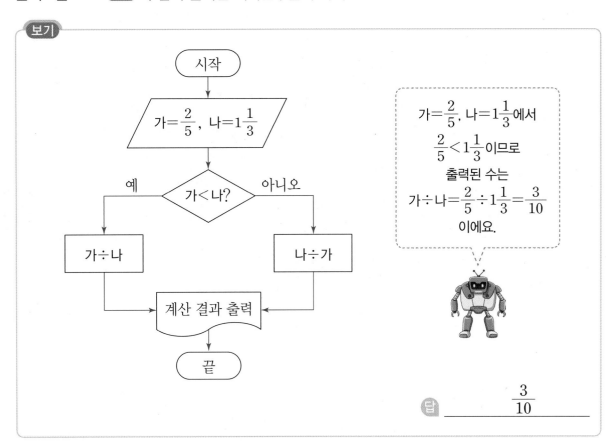

가$=\dfrac{2}{5}$, 나$=1\dfrac{1}{3}$에서

$\dfrac{2}{5}<1\dfrac{1}{3}$이므로

출력된 수는

가÷나$=\dfrac{2}{5}÷1\dfrac{1}{3}=\dfrac{3}{10}$

이에요.

답 $\dfrac{3}{10}$

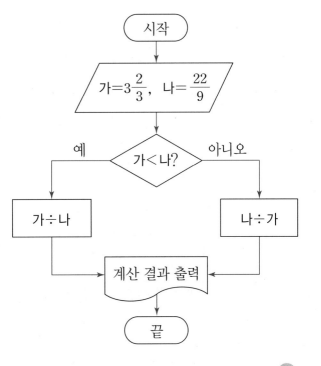

답 _____

3주 소수의 나눗셈 (2)

여긴 어디야?

여긴 방 탈출 게임 속이야.

저게 뭐지?

문제를 풀어서 금고에 있는 열쇠를 꺼내 방을 탈출해야 하는군.

맞아!

그럼 방 안에 숨겨진 문제를 찾아 보자. 그 전에……

우리가 삐에로 바이러스를 막을 수는 있는 거야?

이 게임에 도전하는 사람들은 많았지만 ……

모두가 실패했어. 오히려 삐에로 바이러스의 힘만 키워주었지.

너희도 실패할 거라 생각했어.

헐~.

하지만, 지금은 너희를 믿어.

왜 갑자기?

똑똑한 하루 계산

- ①일 자릿수가 다른 (소수)÷(소수)
- ②일 (자연수)÷(소수 한 자리 수)
- ③일 (자연수)÷(소수 두 자리 수)
- ④일 몫을 반올림하여 나타내기
- ⑤일 나누어 주고 남는 양 구하기

어쨌든 삐에로 바이러스의 힘이 더 커지기 전에 서두르자.

역시~!

내가 있잖아. 나만 믿어 봐~.

아… 너는 진짜 믿을 수가……

지금 내 실력을 의심하는 거야?

그렇다고 볼 수 있지.

쳇! 문제 한번 내봐. 내 실력을 보여 주겠어.

세로가 2.5 cm인 사진을 확대했더니 세로가 60 cm가 되었어.

확대한 사진의 세로는 처음 사진의 세로의 몇 배일까?

윽!!

아… 문제가 너무 길어.

내가 알려줄게. 자~ 봐봐.

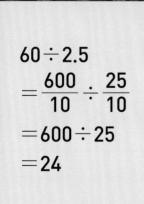

$$60 \div 2.5$$
$$= \frac{600}{10} \div \frac{25}{10}$$
$$= 600 \div 25$$
$$= 24$$

24배잖아.

지금 막 말하려던 참이야.

알아 나도 안다고!!

6-2 (소수 한 자리 수)÷(소수 한 자리 수)

소수 한 자리 수를 분모가
10인 분수로 바꾸어
계산할 수 있어.

나누는 수와 나누어지는 수를
각각 10배 하여
(자연수)÷(자연수)로
계산할 수 있지.

계산해 보세요.

1-1 $9.6 \div 0.8 = \dfrac{\boxed{}}{10} \div \dfrac{\boxed{}}{10} = \boxed{} \div \boxed{} = \boxed{}$

1-2 $14.4 \div 1.6 = \dfrac{\boxed{}}{10} \div \dfrac{\boxed{}}{10} = \boxed{} \div \boxed{} = \boxed{}$

1-3 $2.1\,)\,\overline{6.3}$

1-4 $1.8\,)\,\overline{7.2}$

6-2 (소수 두 자리 수) ÷ (소수 두 자리 수)

소수 두 자리 수를 분모가 100인 분수로 바꾸어 계산할 수 있어요.

난 나누는 수와 나누어지는 수를 각각 100배 하여 (자연수)÷(자연수)로 계산하지.

3주 1일

🐻 계산해 보세요.

2-1 $9.72 \div 1.08 = \dfrac{\boxed{}}{100} \div \dfrac{\boxed{}}{100} = \boxed{} \div \boxed{} = \boxed{}$

2-2 $0.48 \div 0.12 = \dfrac{\boxed{}}{100} \div \dfrac{\boxed{}}{100} = \boxed{} \div \boxed{} = \boxed{}$

2-3

$$1.25 \overline{)8.75}$$

2-4

$$0.38 \overline{)1.52}$$

자릿수가 다른 (소수)÷(소수) ①

4.25÷2.5를
425÷250을
이용하여 구하세요.

$$2.5\underset{\frown}{0}\,)\,\overline{4.2\underset{\frown}{5}\,0}$$
$$\begin{array}{r} 1.7 \\ \underline{2\,5\,0} \\ 1\,7\,5\,0 \\ \underline{1\,7\,5\,0} \\ 0 \end{array}$$

똑똑한 하루 계산법

- 4.25÷2.5를 425÷250을 **이용하여 계산하기** — 각각 100배씩 해서 계산하기

100배

$$4.25÷2.5=1.7 \Rightarrow 425÷250=1.7$$

100배

$$2.5\underset{\frown}{0}\,)\,\overline{4.2\underset{\frown}{5}} \Rightarrow 2\,5\,0\,)\,\overline{4\,2\,5.0}$$

소수점을 오른쪽으로
두 자리씩 옮겨 계산합니다.

$$\begin{array}{r} 1.7 \\ \underline{2\,5\,0} \\ 1\,7\,5\,0 \\ \underline{1\,7\,5\,0} \\ 0 \end{array}$$

$$1.6\underset{\frown}{0}\,)\,\overline{3.6\underset{\frown}{8}\,0}$$
$$\begin{array}{r} 2.3 \\ \underline{3\,2\,0} \\ 4\,8\,0 \\ \underline{4\,8\,0} \\ 0 \end{array}$$

정답 ○에 ○표

똑똑한 계산 연습

🐻 계산해 보세요.

1 100배

$6.08 \div 3.2 = \boxed{}$ ⇨ $608 \div 320 = \boxed{}$

100배

> 소수 한 자리 수를 100배 하면 가장 마지막 수의 끝에 0을 써야 해요.
>
> 예 $3.2 \xrightarrow{100배} 320$

2 100배

$7.82 \div 2.3 = \boxed{}$ ⇨ $782 \div 230 = \boxed{}$

100배

3 100배

$5.98 \div 1.3 = \boxed{}$ ⇨ $598 \div 130 = \boxed{}$

100배

4

$2.4 \,)\overline{1.9\,2}$

5

$0.4 \,)\overline{2.6\,4}$

6

$1.6 \,)\overline{3.0\,4}$

7

$0.7 \,)\overline{1.6\,8}$

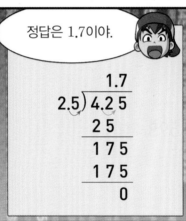

똑똑한 하루 계산법

• 4.25÷2.5를 42.5÷25를 이용하여 계산하기 —각각 10배씩 해서 계산하기

$$4.25 \div 2.5 = 1.7 \Rightarrow 42.5 \div 25 = 1.7$$

10배 / 10배

$$2.5 \overline{)4.2\,5} \Rightarrow 25 \overline{)42.5}$$

○✗ 퀴즈

계산이 바르면 ○에, 틀리면 ✗에 ○표 하세요.

정답 ✗에 ○표

94 ● 똑똑한 하루 계산

똑똑한 계산 연습

계산해 보세요.

1 1.61 ÷ 0.7 = ☐ ⇨ 16.1 ÷ 7 = ☐

10배

10배

나누어지는 수가 자연수가
되도록 소수점을 오른쪽
으로 한 자리씩 옮겨
계산해요.

2 9.18 ÷ 5.4 = ☐ ⇨ 91.8 ÷ 54 = ☐

10배

10배

3 15.64 ÷ 2.3 = ☐ ⇨ 156.4 ÷ 23 = ☐

10배

10배

3주
1일

4 2.4) 1.6 8

5 3.8) 4.5 6

6 4.2) 8.8 2

7 3.2) 7.3 6

기초 집중 연습

 계산해 보세요.

1-1 3.64÷0.7 = ☐

1-2 12.47÷4.3 = ☐

1-3 3.77÷1.3 = ☐

1-4 11.52÷6.4 = ☐

 빈칸에 알맞은 수를 써넣으세요.

2-1

| 4.76 | ÷6.8 | |

2-2

| 1.68 | ÷2.4 | |

2-3

| 9.24 | ÷4.2 | |

2-4

| 4.56 | ÷3.8 | |

2-5

| 15.41 | ÷2.3 | |

2-6

| 19.98 | ÷5.4 | |

⏰ 제한 시간 10분

생활 속 계산

🐻 집에서 공원까지의 거리는 집에서 병원까지의 거리의 몇 배인지 구하세요.

3-1

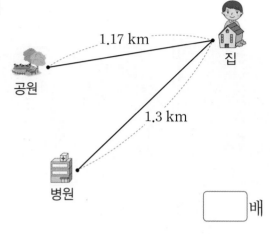

1.17 km

공원 집

1.3 km

병원

☐ 배

3-2

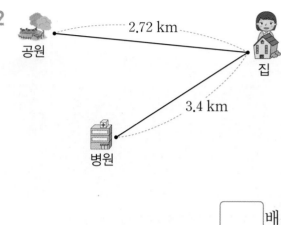

2.72 km

공원 집

3.4 km

병원

☐ 배

문장 읽고 계산식 세우기

4-1

넓이가 4.95 cm²인 직사각형의 가로가 3.3 cm일 때 세로는 몇 cm?

식 $4.95 \div$ ☐ $=$ ☐ (cm)

4-2

넓이가 10.79 cm²인 직사각형의 가로가 8.3 cm일 때 세로는 몇 cm?

식 $10.79 \div$ ☐ $=$ ☐ (cm)

4-3

넓이가 8.48 cm²인 평행사변형의 높이가 5.3 cm일 때 밑변의 길이는 몇 cm?

식  ☐ $\div$ ☐ $=$ ☐ (cm)

4-4

넓이가 7.98 cm²인 평행사변형의 높이가 1.9 cm일 때 밑변의 길이는 몇 cm?

식  ☐ $\div$ ☐ $=$ ☐ (cm)

3주 1일

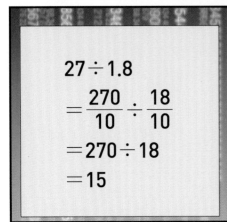

똑똑한 하루 계산법

• 27÷1.8의 계산 방법

방법 1 분수의 나눗셈으로 바꾸어 계산하기

$$27 \div 1.8 = \frac{270}{10} \div \frac{18}{10} = 270 \div 18 = 15$$

분모가 10인 분수로 고칩니다.

방법 2 자연수의 나눗셈을 이용하여 계산하기

10배

$$27 \div 1.8 = 15 \Rightarrow 270 \div 18 = 15$$

10배

 ○✕ 퀴즈

계산이 바르면 ○에,
틀리면 ✕에 ○표 하세요.

$$30 \div 1.2 = \frac{30}{10} \div \frac{12}{10}$$
$$= 30 \div 12$$
$$= 2.5$$

정답 ✕에 ○표

똑똑한 계산 연습

제한 시간 5분

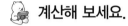 계산해 보세요.

① $38 \div 0.4 = \dfrac{380}{10} \div \dfrac{\square}{10} = 380 \div \square = \square$

② $24 \div 4.8 = \dfrac{240}{10} \div \dfrac{\square}{10} = \square \div \square = \square$

③ $21 \div 3.5 = \dfrac{\square}{10} \div \dfrac{\square}{10} = \square \div \square = \square$

④ $42 \div 8.4 = \dfrac{\square}{10} \div \dfrac{\square}{10} = \square \div \square = \square$

⑤ $35 \div 0.7$

⑥ $17 \div 8.5$

⑦ $51 \div 3.4$

⑧ $87 \div 5.8$

⑨ $364 \div 6.5$

⑩ $135 \div 5.4$

3주
2일

•99

(자연수)÷(소수 한 자리 수) ②

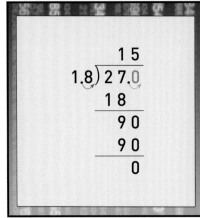

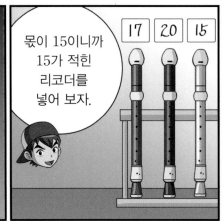

똑똑한 하루 계산법

• 27÷1.8을 세로로 계산하기

$$1.8\overline{)27.0} \Rightarrow 18\overline{)270}$$

→ 나누는 수가 자연수가 되도록 소수점을 한 자리씩 똑같이 옮깁니다.

나누는 수가 자연수가 되도록 나누는 수와 나누어지는 수의 소수점을 오른쪽으로 한 자리씩 옮깁니다.

○✕ 퀴즈

계산이 바르면 ○에, 틀리면 ✕에 ○표 하세요.

○   ✕

정답 ○에 ○표

📖 계산해 보세요.

① 3.5) 1 4

② 7.8) 3 9

③ 2.8) 1 4

④ 1.5) 5 7

⑤ 3.2) 4 8

⑥ 0.5) 1 7

⑦ 5.8) 8 7

⑧ 2.3) 4 6

⑨ 1.5) 8 1

⑩ 4.5) 1 4 4

⑪ 2.5) 1 0 5

⑫ 3.8) 1 5 2

3주
2일

2^일

기초 집중 연습

 보기 와 같이 계산해 보세요.

보기
$$12 \div 1.5 = \frac{120}{10} \div \frac{15}{10} = 120 \div 15 = 8$$

1-1 $77 \div 2.2$ _____

1-2 $17 \div 3.4$ _____

1-3 $98 \div 2.8$ _____

 빈칸에 알맞은 수를 써넣으세요.

2-1
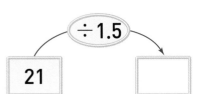

2-2
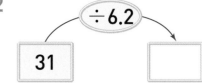

2-3
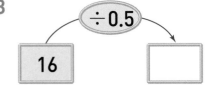

2-4
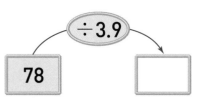

▶ 정답 및 풀이 17쪽

생활 속 계산

🐻 주어진 설탕을 자루에 똑같이 나누어 담으려고 합니다. 모두 몇 자루가 되는지 구하세요.

3-1
※ 설탕
63 kg

 4.2 kg씩 나누어 담아요.

☐ 자루

3-2
설탕
16 kg

 3.2 kg씩 나누어 담아요.

☐ 자루

3-3
※ 설탕
57 kg

 1.9 kg씩 나누어 담아요.

☐ 자루

3-4
설탕
33 kg

 5.5 kg씩 나누어 담아요.

☐ 자루

3주
2일

문장 읽고 계산식 세우기

4-1 딸기 40 kg을 한 상자에 1.6 kg씩 담는다면 필요한 상자 수는?

식 $40 \div \boxed{} = \boxed{}$ (상자)

4-2 키위 18 kg을 한 상자에 1.2 kg씩 담는다면 필요한 상자 수는?

식 $18 \div \boxed{} = \boxed{}$ (상자)

4-3 살구 31 kg을 한 상자에 6.2 kg씩 담는다면 필요한 상자 수는?

식 $\boxed{} \div \boxed{} = \boxed{}$ (상자)

4-4 매실 35 kg을 한 상자에 1.4 kg씩 담는다면 필요한 상자 수는?

식 $\boxed{} \div \boxed{} = \boxed{}$ (상자)

(자연수)÷(소수 두 자리 수) ①

생각보다 어렵지 않은 걸.

맞아.

그 다음은 뭘까? 아까랑 달라진 걸 찾아봐.

아, 저기!

저 물통은 아까 없던 거야. 계산식도 적혀 있네.

7÷0.25

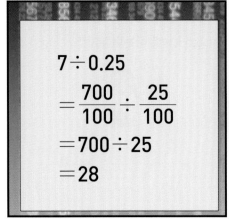

$$7 \div 0.25$$
$$= \frac{700}{100} \div \frac{25}{100}$$
$$= 700 \div 25$$
$$= 28$$

자, 이 물통으로 물을 28번만 떠 와.

나 혼자?

물통이 하나라고 나만 하다니 너무해……

똑똑한 하루 계산법

• 7÷0.25의 계산 방법

방법 1 분수의 나눗셈으로 바꾸어 계산하기

$$7 \div 0.25 = \frac{700}{100} \div \frac{25}{100} = 700 \div 25 = 28$$

분모가 100인 분수로 고칩니다.

방법 2 자연수의 나눗셈을 이용하여 계산하기

100배

$$7 \div 0.25 = 28 \Rightarrow 700 \div 25 = 28$$

100배

○✗ 퀴즈

계산이 바르면 ○에, 틀리면 ✗에 ○표 하세요.

$$3 \div 0.12 = \frac{300}{100} \div \frac{12}{100}$$
$$= 300 \div 12$$
$$= 25$$

○　　✗

정답 ○에 ○표

똑똑한 계산 연습

제한 시간 5분

🐻 계산해 보세요.

1 $9 \div 2.25 = \dfrac{900}{100} \div \dfrac{\boxed{}}{100} = 900 \div \boxed{} = \boxed{}$

2 $6 \div 0.12 = \dfrac{600}{100} \div \dfrac{\boxed{}}{100} = \boxed{} \div \boxed{} = \boxed{}$

3 $46 \div 1.84 = \dfrac{\boxed{}}{100} \div \dfrac{\boxed{}}{100} = \boxed{} \div \boxed{} = \boxed{}$

4 $17 \div 4.25 = \dfrac{\boxed{}}{100} \div \dfrac{\boxed{}}{100} = \boxed{} \div \boxed{} = \boxed{}$

5 $3 \div 0.25$

6 $5 \div 1.25$

7 $19 \div 0.76$

8 $30 \div 3.75$

9 $35 \div 1.25$

10 $27 \div 2.25$

3주 3일

똑똑한 하루 계산법

• 7÷0.25를 세로로 계산하기

→ 소수점을 오른쪽으로 두 자리씩 똑같이 옮겨요.

나누어지는 수의 소수점을 오른쪽으로 옮길 때 소수점 아래 끝자리에 0을 쓰고 소수점을 옮겨 계산합니다.

○✕ 퀴즈

계산이 바르면 ○에, 틀리면 ✕에 ○표 하세요.

```
              1.6
1.2 5 ) 2 0 0.0 0
        1 2 5
          7 5 0
          7 5 0
              0
```

정답 ✕에 ○표

똑똑한 계산 연습

🐻 계산해 보세요.

①　0.1 5)3

②　0.3 6)9

③　0.7 5)6

④　1.2 8)3 2

⑤　1.6 8)8 4

⑥　1.2 5)3 0

⑦　0.9 2)2 3

⑧　4.2 5)1 7

⑨　0.2 6)1 3

⑩　0.2 5)7

⑪　1.5 5)9 3

⑫　0.0 8)5 6

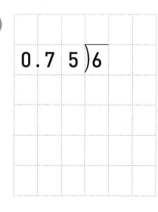
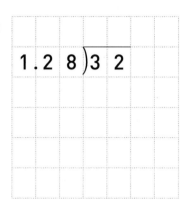
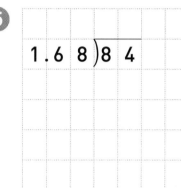
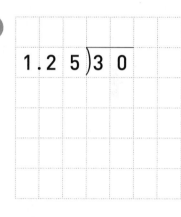
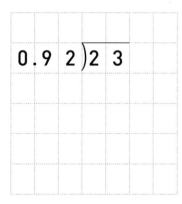
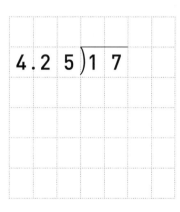
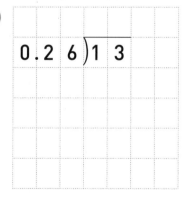
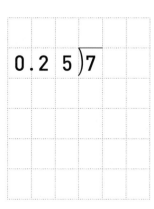
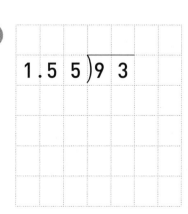
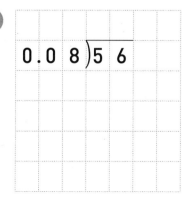

3주
3일

기초 집중 연습

🐻 ☐ 안에 알맞은 수를 써넣으세요.

1-1 100배
$51 \div 2.04 = \boxed{}$ ⇨ $5100 \div 204 = \boxed{}$
100배

1-2 100배
$18 \div 0.45 = \boxed{}$ ⇨ $1800 \div 45 = \boxed{}$
100배

1-3 100배
$12 \div 0.25 = \boxed{}$ ⇨ $1200 \div 25 = \boxed{}$
100배

🐻 빈칸에 알맞은 수를 써넣으세요.

2-1 73 → $\div 3.65$ → $\boxed{}$

2-2 34 → $\div 4.25$ → $\boxed{}$

2-3 86 → $\div 3.44$ → $\boxed{}$

2-4 22 → $\div 2.75$ → $\boxed{}$

제한 시간 10분

생활 속 계산

🐻 주어진 리본 끈을 자르려고 합니다. 몇 도막이 되는지 구하세요.

3-1
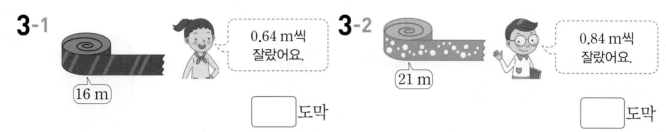

16 m

0.64 m씩 잘랐어요.

[　] 도막

3-2

21 m

0.84 m씩 잘랐어요.

[　] 도막

3-3

10 m

1.25 m씩 잘랐어요.

[　] 도막

3-4

26 m

3.25 m씩 잘랐어요.

[　] 도막

3주 3일

문장 읽고 계산식 세우기

4-1

간장 5 L를 한 병에 1.25 L씩 나누어 담으면 담을 수 있는 병의 수는?

식 5÷[　]=[　] (병)

4-2

참기름 3 L를 한 병에 0.12 L씩 나누어 담으면 담을 수 있는 병의 수는?

식 3÷[　]=[　] (병)

4-3

고추장 18 kg을 한 통에 0.36 kg씩 나누어 담으면 담을 수 있는 통의 수는?

식 [　]÷[　]=[　] (통)

4-4

된장 42 kg을 한 통에 1.68 kg씩 나누어 담으면 담을 수 있는 통의 수는?

식 [　]÷[　]=[　] (통)

 4일 몫을 반올림하여 나타내기 ①

열쇠를 찾았으니 삐에로를 막을 수 있겠지?

아니.

아직 열쇠 한개가 부족해.

이런 …….

일단 여기에서 탈출하자.

여기 왼쪽 문에 나가는 방법이 적혀 있어.

4÷7의 몫을 반올림하여 일의 자리까지 나타낸 수 만큼 돌리시오.

$4 \div 7 = 0.5 \cdots \Rightarrow 1$

다이얼을 왼쪽으로 한 바퀴만 돌려 봐.

앗, 문이 조금 열렸어.

똑똑한 하루 계산법

• (자연수)÷(자연수)의 몫을 반올림하여 나타내기

```
  0.5 7 1
7)4.0 0 0
  3 5
    5 0
    4 9
      1 0
        7
        3
```

• 몫을 반올림하여 일의 자리까지 나타내기

$$4 \div 7 = 0.5 \cdots \Rightarrow 1$$

└→ 소수 첫째 자리 숫자가 5이므로 올림

• 몫을 반올림하여 소수 첫째 자리까지 나타내기

$$4 \div 7 = 0.57 \cdots \Rightarrow 0.6$$

└→ 소수 둘째 자리 숫자가 7이므로 올림

• 몫을 반올림하여 소수 둘째 자리까지 나타내기

$$4 \div 7 = 0.571 \cdots \Rightarrow 0.57$$

└→ 소수 셋째 자리 숫자가 1이므로 버림

 반올림은 구하려는 자리 바로 아래 자리의 숫자가 0, 1, 2, 3, 4이면 버리고

5, 6, 7, 8, 9이면 올려서 나타내는 방법입니다.

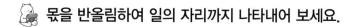
 몫을 반올림하여 일의 자리까지 나타내어 보세요.

1 $3\overline{)1\ 1}$

2 $7\overline{)2\ 3}$

3 $9\overline{)4\ 6}$

⇨ [　　　]   ⇨ [　　　]   ⇨ [　　　]

 몫을 반올림하여 소수 첫째 자리까지 나타내어 보세요.

4 $7\overline{)9}$

5 $6\overline{)5}$

6 $9\overline{)8}$

⇨ [　　　]   ⇨ [　　　]   ⇨ [　　　]

 몫을 반올림하여 소수 둘째 자리까지 나타내어 보세요.

7 $9\overline{)1\ 7}$

8 $1\ 3\overline{)9}$

9 $6\overline{)2\ 0}$

⇨ [　　　]   ⇨ [　　　]   ⇨ [　　　]

몫을 반올림하여 나타내기 ②

똑똑한 하루 계산법

• (소수) ÷ (소수)의 몫을 반올림하여 나타내기

```
        5. 5 7 1
  0.7 ) 3.9 0 0 0
        3 5
        ─────
          4 0
          3 5
          ─────
            5 0
            4 9
            ─────
              1 0
                 7
              ─────
                 3
```

• 몫을 반올림하여 일의 자리까지 나타내기

$$3.9 \div 0.7 = 5.5\cdots \Rightarrow 6$$

└→ 소수 첫째 자리 숫자가 5이므로 올림

• 몫을 반올림하여 소수 첫째 자리까지 나타내기

$$3.9 \div 0.7 = 5.57\cdots \Rightarrow 5.6$$

└→ 소수 둘째 자리 숫자가 7이므로 올림

• 몫을 반올림하여 소수 둘째 자리까지 나타내기

$$3.9 \div 0.7 = 5.571\cdots \Rightarrow 5.57$$

└→ 소수 셋째 자리 숫자가 1이므로 버림

구하려는 자리 바로 아래 자리까지 계산한 후 반올림합니다.

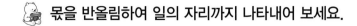
똑똑한 계산 연습

몫을 반올림하여 일의 자리까지 나타내어 보세요.

① 1.3)2.5

② 0.7)2.3

③ 0.8)3.5 7

⇨ [ ] ⇨ [ ] ⇨ [ ]

몫을 반올림하여 소수 첫째 자리까지 나타내어 보세요.

④ 3.9)9.7

⑤ 0.9)8.5

⑥ 0.3)1.9

⇨ [ ] ⇨ [ ] ⇨ [ ]

몫을 반올림하여 소수 둘째 자리까지 나타내어 보세요.

⑦ 0.6)4.7 2

⑧ 2.7)0.6 3

⑨ 1.4)3.9

⇨ [ ] ⇨ [ ] ⇨ [ ]

🐻 몫을 반올림하여 일의 자리까지 나타내어 보세요.

1-1

$$17 \div 13$$

☐

1-2

$$15 \div 11$$

☐

1-3

$$2.4 \div 0.7$$

☐

1-4

$$9.79 \div 5.1$$

☐

🐻 몫을 반올림하여 주어진 자리까지 나타내어 보세요.

2-1

나눗셈	소수 첫째 자리	소수 둘째 자리
$25 \div 9$		

2-2

나눗셈	소수 첫째 자리	소수 둘째 자리
$26 \div 17$		

2-3

나눗셈	소수 첫째 자리	소수 둘째 자리
$3.8 \div 0.6$		

2-4

나눗셈	소수 첫째 자리	소수 둘째 자리
$43.3 \div 9$		

▶정답 및 풀이 20쪽

생활 속 계산

🐻 강아지의 무게는 고양이의 무게의 몇 배인지 반올림하여 일의 자리까지 나타내어 보세요.

3-1

5 kg   3 kg

☐ 배

3-2

13 kg   7 kg

☐ 배

3-3

8 kg   3 kg

☐ 배

3-4

8.9 kg   3.3 kg

☐ 배

3-5

5.9 kg   3.7 kg

☐ 배

3-6

5.2 kg   3.4 kg

☐ 배

문장 읽고 문제 해결하기

4-1

설탕 17 kg과 소금 7 kg이 있을 때 설탕의 양은 소금의 양의 몇 배인지 반올림하여 소수 첫째 자리까지 나타내면?

답 _____ 배

4-2

밀가루 8.9 kg과 빵가루 3.1 kg이 있을 때 밀가루의 양은 빵가루의 양의 몇 배인지 반올림하여 소수 첫째 자리까지 나타내면?

답 _____ 배

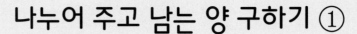

똑똑한 하루 계산법

- 나누어 주고 남는 양을 뺄셈으로 알아보기

식용유 7.4 L를 한 병에 2 L씩 나누어 담을 때 나누어 담을 수 있는 병의 수와 남는 양 구하기

2 L	2 L	2 L	1.4 L

7.4 L

$$7.4 - 2 - 2 - 2 = 1.4$$

3번

① 나누어 담을 수 있는 병 수:

　7.4 L에서 2 L씩 3번 담을 수 있습니다. ➡ **3병**

② 남는 식용유의 양 ➡ **1.4 L**

🐻 다음과 같이 나누어 주려고 합니다. 나누어 줄 수 있는 사람 수와 남는 양을 구하세요.

1 귤 14.3 kg을 한 사람에게 3 kg씩 나누어 줄 때

$$14.3 - \underbrace{3 - 3 - 3 - 3}_{4번} = 2.3$$

사람 수: ☐ 명

남는 귤의 양: ☐ kg

2 딸기 6.8 kg을 한 사람에게 3 kg씩 나누어 줄 때

$$6.8 - \underbrace{3 - 3}_{2번} = 0.8$$

사람 수: ☐ 명

남는 딸기의 양: ☐ kg

3 사탕 15.4 kg을 한 사람에게 4 kg씩 나누어 줄 때

$$15.4 - \underbrace{4 - 4 - 4}_{3번} = ☐$$

사람 수: ☐ 명

남는 사탕의 양: ☐ kg

4 한과 22.74 kg을 한 사람에게 5 kg씩 나누어 줄 때

$$22.74 - \underbrace{5 - 5 - 5 - 5}_{4번} = ☐$$

사람 수: ☐ 명

남는 한과의 양: ☐ kg

5 팥 14.8 kg을 한 사람에게 3 kg씩 나누어 줄 때

$$14.8 - \underbrace{3 - 3 - 3 - 3}_{4번} = ☐$$

사람 수: ☐ 명

남는 팥의 양: ☐ kg

6 버섯 15.4 kg을 한 사람에게 6 kg씩 나누어 줄 때

$$15.4 - \underbrace{6 - 6}_{2번} = ☐$$

사람 수: ☐ 명

남는 버섯의 양: ☐ kg

나누어 주고 남는 양 구하기 ②

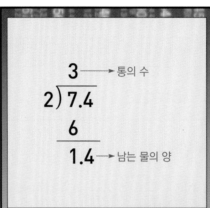

똑똑한 하루 계산법

• 나누어 주고 남는 양을 세로로 계산하기

식용유 7.4 L를 한 병에 2 L씩 나누어 담을 때 나누어
담을 수 있는 병의 수와 남는 양 구하기

병 수는 자연수이므로 몫을 자연수 부분까지 구합니다.

$$
\begin{array}{r}
3 \longrightarrow \text{나누어 담을 수 있는 병 수} \\
2\,)\,\overline{7.4} \\
6 \\
\hline
1.4 \longrightarrow \text{남는 식용유의 양}
\end{array}
$$

⇨ 나누어 담을 수 있는 병 수: **3병**
남는 식용유의 양: 1.4 L

 ○✕ 퀴즈

나타낸 것이 바르면 ○에,
틀리면 ✕에 ○표 하세요.

$$
\begin{array}{r}
6 \\
3\,)\,\overline{1\ 9.9} \\
1\ 8 \\
\hline
1.9
\end{array}
$$

몫: 6
남는 수: 1.9

○   ✕

🐻 다음과 같이 나누어 주려고 합니다. 나누어 줄 수 있는 사람 수와 남는 양을 구하세요.

1 아몬드 18.8 kg을 한 사람에게 6 kg씩 나누어 줄 때

```
        3
   6 ) 1 8 . 8
       1 8
       ─────
        0 . 8
```

사람 수: ☐ 명

남는 아몬드의 양: ☐ kg

2 땅콩 27.6 kg을 한 사람에게 4 kg씩 나누어 줄 때

```
        6
   4 ) 2 7 . 6
       2 4
       ─────
        3 . 6
```

사람 수: ☐ 명

남는 땅콩의 양: ☐ kg

3 콩 31.2 kg을 한 사람에게 9 kg씩 나누어 줄 때

```
        ☐
   9 ) 3 1 . 2
       ☐
       ─────
        ☐
```

사람 수: ☐ 명

남는 콩의 양: ☐ kg

4 메밀 38.4 kg을 한 사람에게 7 kg씩 나누어 줄 때

```
        ☐
   7 ) 3 8 . 4
       ☐
       ─────
        ☐
```

사람 수: ☐ 명

남는 메밀의 양: ☐ kg

5 식혜 4.7 L를 한 사람에게 2 L씩 나누어 줄 때

```
        ☐
   2 ) 4 . 7
       ☐
       ─────
        ☐
```

사람 수: ☐ 명

남는 식혜의 양: ☐ L

6 수정과 8.26 L를 한 사람에게 4 L씩 나누어 줄 때

```
        ☐
   4 ) 8 . 2 6
       ☐
       ─────
        ☐
```

사람 수: ☐ 명

남는 수정과의 양: ☐ L

3주
5일

기초 집중 연습

🐻 나눗셈의 몫을 자연수 부분까지 구하고 남는 수를 구하세요.

1-1

3) 1 9.4

몫: ☐ , 남는 수: ☐

1-2

9) 2 5.3

몫: ☐ , 남는 수: ☐

1-3

7) 7 1.7

몫: ☐ , 남는 수: ☐

1-4

9) 5 4.6

몫: ☐ , 남는 수: ☐

🐻 다음과 같이 나누어 주려고 합니다. 나누어 줄 수 있는 사람 수와 남는 양을 구하세요.

2-1

식초 9.2 L를 한 사람에게 4 L씩 나누어 줄 때

사람 수: ☐ 명

남는 식초의 양: ☐ L

2-2

간장 33.6 L를 한 사람에게 9 L씩 나누어 줄 때

사람 수: ☐ 명

남는 간장의 양: ☐ L

2-3

철사 11.2 m를 한 사람에게 3 m씩 나누어 줄 때

사람 수: ☐ 명

남는 철사의 길이: ☐ m

2-4

노끈 10.26 m를 한 사람에게 5 m씩 나누어 줄 때

사람 수: ☐ 명

남는 노끈의 길이: ☐ m

생활 속 계산

친구들에게 똑같이 나누어 주려고 합니다. 몇 명의 친구에게 나누어 줄 수 있는지 구하세요.

3-1

23.7 kg

3 kg씩 나누어 가졌어요.

□명

3-2

15.2 kg

6 kg씩 나누어 가졌어요.

□명

3-3

46.4 kg

5 kg씩 나누어 가졌어요.

□명

3-4

38.6 kg

8 kg씩 나누어 가졌어요.

□명

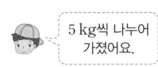
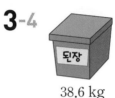
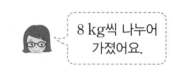

3주
5일

문장 읽고 문제 해결하기

4-1 리본 끈 6 m로 상자 하나를 묶을 수 있다면 리본 끈 54.9 m로 똑같은 크기의 상자를 묶을 때, 묶을 수 있는 상자 수와 남는 리본 끈의 길이는 몇 m?

답 _____상자, _____ m

4-2 실 2 m로 팔찌 하나를 만들 수 있다면 실 19.8 m로 똑같은 길이의 팔찌를 만들 때, 만들 수 있는 팔찌 수와 남는 실의 길이는 몇 m?

답 _____개, _____ m

4-3 앵두 35.7 kg을 한 상자에 7 kg씩 담아서 팔려고 한다면 팔 수 있는 상자 수와 남는 앵두는 몇 kg?

답 _____상자, _____ kg

4-4 살구 62.4 kg을 한 상자에 8 kg씩 담아서 팔려고 한다면 팔 수 있는 상자 수와 남는 살구는 몇 kg?

답 _____상자, _____ kg

누구나 100점 맞는 TEST

 계산해 보세요.

1 $0.4\,)\overline{3.1\,2}$

2 $8.6\,)\overline{4\,0.4\,2}$

3 $5.3\,)\overline{4\,6.1\,1}$

4 $2.5\,)\overline{6.2\,5}$

5 $7.5\,)\overline{4\,5}$

6 $5.5\,)\overline{8\,8}$

7 $3.6\,)\overline{5\,4}$

8 $2.2\,4\,)\overline{5\,6}$

9 $3.2\,5\,)\overline{3\,9}$

10 $1.6\,8\,)\overline{1\,2\,6}$

⏰ 제한 시간 10분

🐻 나눗셈의 몫을 반올림하여 소수 첫째 자리까지 나타내어 보세요.

⑪ 59÷6

( )

⑫ 28÷3

( )

⑬ 4.89÷1.9

( )

⑭ 2.5÷0.7

( )

🐻 나눗셈의 몫을 반올림하여 소수 둘째 자리까지 나타내어 보세요.

⑮ 7÷6

( )

⑯ 91÷3

( )

⑰ 1.75÷2.3

( )

⑱ 7.8÷9.2

( )

3주
평가

🐻 나눗셈의 몫을 자연수 부분까지 구할 때 남는 수를 구하세요.

⑲ 49.7÷3

( )

⑳ 81.6÷9

( )

제한 시간 안에 정확하게 모두 풀었다면
여러분은 진정한 **계산왕**!

• **123**

발효식품 된장

 은율이가 친구들에게 된장 만드는 방법을 설명해 주고 있습니다.

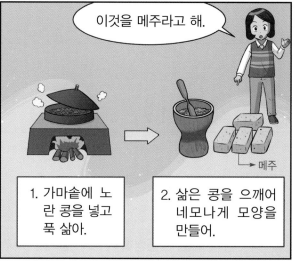

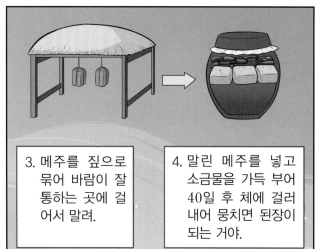

 항아리에는 29.6 kg의 된장이 있어요. 한 사람에게 3 kg씩 나누어 주면 몇 명에게 나누어 줄 수 있을까요?

$$29.6 \div 3 = \boxed{} \cdots \boxed{}$$

답 _____ 명

▶ 정답 및 풀이 21쪽

그릇이 숨을 쉰다고?

 호범이와 은율이는 항아리 만들기 체험을 하고 있습니다.

3주

특강

 호범이가 사용한 흙의 양은 은율이가 사용한 흙의 양의 몇 배일까요?

$$32 \div 6.4 = \boxed{}$$

답 _____ 배

 3   은율이가 키우는 물고기는 모두 몇 마리인지 구하세요.

계산 결과가 옳은 것이 내가 키우는 물고기야.

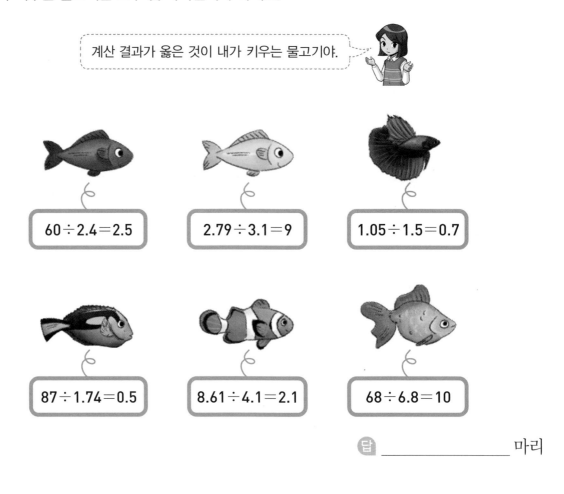

60÷2.4=2.5

2.79÷3.1=9

1.05÷1.5=0.7

87÷1.74=0.5

8.61÷4.1=2.1

68÷6.8=10

답 _____ 마리

 4   한복을 만드는 데 필요한 옷감 1.8 m의 가격이 7740원일 때, 옷감 1 m의 가격은 얼마인지 구하세요.

한복은 우리 고유의 옷이에요.

답 _____ 원

▶정답 및 풀이 21쪽

융합 5 몸 길이가 5.25 m이고 이빨의 길이는 3.5 m인 바다의 유니콘이라 불리는 일각고래가 있습니다. 이 일각고래의 몸의 길이는 이빨 길이의 몇 배인지 구하세요.

답 _____ 배

3주
특강

창의 6 가로가 3.6 cm인 사진을 확대 복사했더니 가로가 8.64 cm인 사진이 되었습니다. 확대 복사한 사진의 가로는 처음 사진의 가로의 몇 배인지 구하세요.

3.6 cm

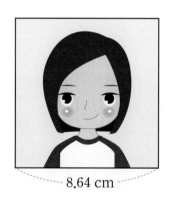

8.64 cm

답 _____ 배

 친구들의 윗몸일으키기 기록은 다음과 같습니다. 청하의 기록은 민호의 기록의 몇 배인지 반올림하여 소수 첫째 자리까지 나타내어 보세요.

이름	청하	지은	민호	석진
기록(회)	55	9	17	48

답 _____ 배

 한라산의 높이는 1.95 km이고, 설악산의 높이는 1.7 km입니다. 한라산의 높이는 설악산의 높이의 몇 배인지 반올림하여 소수 둘째 자리까지 나타내어 보세요.

한라산

설악산

답 _____ 배

▶ 정답 및 풀이 21쪽

창의 9 사다리 타기는 줄을 타고 내려가다가 가로로 놓인 선을 만나면 가로선을 따라 맨 아래까지 내려가는 놀이입니다. 주어진 식의 몫을 사다리를 타고 내려가서 도착한 곳에 써넣으세요. (단, 몫은 반올림하여 일의 자리까지 나타냅니다.)

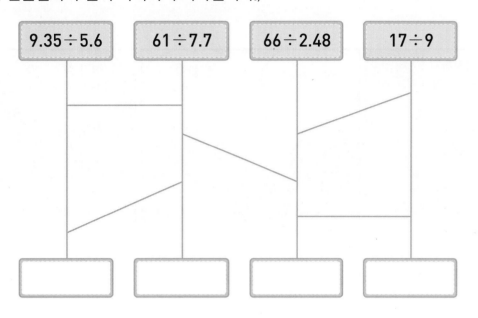

| 9.35÷5.6 | 61÷7.7 | 66÷2.48 | 17÷9 |

융합 10 단옷날의 대표적인 풍습인 창포물에 머리감기를 하려고 합니다. 창포물 76.4 L를 한 사람에게 6 L씩 나누어 줄 때 나누어 줄 수 있는 사람 수와 남는 창포물의 양을 구하세요.

창포에서 나는 향기가 액운을 쫓고, 병마를 물리친다고 해요.

답 _____ 명, _____ L

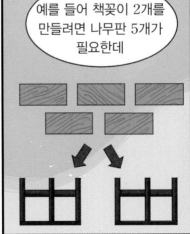

4주에 배울 내용을 알아볼까요? ①

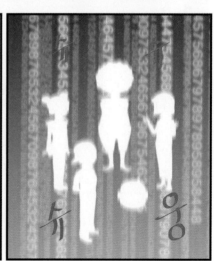

4주에 배울 내용을 알아볼까요? ②

6-1 비 알아보기

두 수 5와 8을 비교할 때
5 : 8이라고 써요.

비교하는 양 → 5 : 8 ← 기준량

쓰기	읽기
5 : 8	5 대 8
	5와 8의 비
	5의 8에 대한 비
	8에 대한 5의 비

☐ 안에 알맞은 수를 써넣으세요.

1-1
6과 11의 비
⇨ ☐ : ☐

1-2
15와 3의 비
⇨ ☐ : ☐

1-3
7의 9에 대한 비
⇨ ☐ : ☐

1-4
8의 13에 대한 비
⇨ ☐ : ☐

1-5
16에 대한 9의 비
⇨ ☐ : ☐

1-6
17에 대한 10의 비
⇨ ☐ : ☐

6-1 비율

$2 : 5 \Rightarrow \dfrac{2}{5}$

기준량은 분모, 비교하는 양은 분자가 됩니다.

(비율)
＝(비교하는 양)÷(기준량)
＝$\dfrac{(비교하는 양)}{(기준량)}$

 비율을 분수로 나타내세요.

2-1 7과 15의 비

$\Rightarrow$ ☐

2-2 8의 17에 대한 비

$\Rightarrow$ ☐

2-3 13에 대한 6의 비

$\Rightarrow$ ☐

 비율을 소수로 나타내세요.

3-1 50에 대한 29의 비

$\Rightarrow$ ☐

3-2 8과 5의 비

$\Rightarrow$ ☐

3-3 9의 25에 대한 비

$\Rightarrow$ ☐

비의 성질 ①

지금부터 수학퀴즈 쇼를 시작하겠습니다~.

Go!

참가 선수는 수학천재 삐에로와 수학 애송이들입니다.

우리가 애송이!!

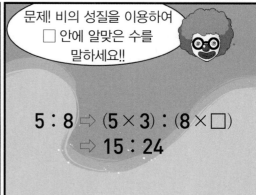

문제! 비의 성질을 이용하여 □ 안에 알맞은 수를 말하세요!!

$5 : 8 \Rightarrow (5 \times 3) : (8 \times \square)$
$\Rightarrow 15 : 24$

정답!!

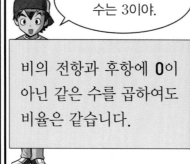

□ 안에 알맞은 수는 3이야.

비의 전항과 후항에 0이 아닌 같은 수를 곱하여도 비율은 같습니다.

우아아! 내가 먼저 맞혔다!!

이번 문제는 연습 문제였어.

똑똑한 하루 계산법

- **전항, 후항**

비 3 : 4에서 기호 ‘:’ 앞에 있는 3을 **전항**, 뒤에 있는 4를 **후항**이라고 합니다.

- **비의 전항과 후항에 0이 아닌 같은 수를 곱하기**

비의 전항과 후항에 0이 아닌 같은 수를 곱하여도 비율은 같습니다.

예 $3 : 4 \Rightarrow (3 \times 2) : (4 \times 2)$
$\xrightarrow{\frac{3}{4}}$
$\Rightarrow 6 : 8$
$\xrightarrow{\frac{6}{8} = \frac{3}{4}}$

○✕ 퀴즈

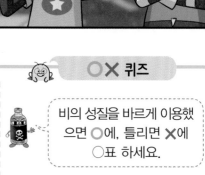

비의 성질을 바르게 이용했으면 ○에, 틀리면 ✕에 ○표 하세요.

$2 : 3 = (2 \times 3) : (3 \times 2)$
$= 6 : 6$

○　　✕

정답　✕에 ○표

똑똑한 계산 연습

비의 성질을 이용하여 비율이 같은 비가 되도록 ☐ 안에 알맞은 수를 써넣으세요.

1 $4 : 7 \Rightarrow (4 \times 2) : (7 \times \boxed{})$

$ \Rightarrow 8 : \boxed{}$

2 $3 : 5 \Rightarrow (3 \times 3) : (5 \times \boxed{})$

$ \Rightarrow 9 : \boxed{}$

3 $9 : 5 \Rightarrow (9 \times \boxed{}) : (5 \times 3)$

$ \Rightarrow \boxed{} : 15$

4 $7 : 9 \Rightarrow (7 \times \boxed{}) : (9 \times 2)$

$ \Rightarrow \boxed{} : 18$

5
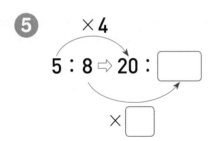

6
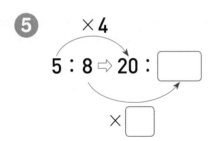

7
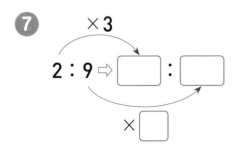

8
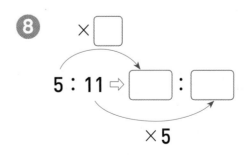

비의 성질 ②

뭐? 연습 문제!!

지금부터 진짜지~.

비의 성질을 이용하여 □ 안에 알맞은 수를 말하세요!!

20 : 15

⇨ (20÷5) : (15÷5)

⇨ 4 : □

정답은 3이야.

비의 전항과 후항을 0이 아닌 같은 수로 나누어도 비율은 같습니다.

크크크, 이제 1 : 0

치사해.

난 원래 치사해.

다음 문제는 뭘까~.

똑똑한 하루 계산법

• 비의 전항과 후항을 0이 아닌 같은 수로 나누기

비의 전항과 후항을 0이 아닌 같은 수로 나누어도 비율은 같습니다.

⑳ $12 : 15$ ⇨ $(12÷3) : (15÷3)$

$\frac{12}{15} = \frac{4}{5}$

⇨ $4 : 5$

$\frac{4}{5}$

비의 전항과 후항을 0으로는 나눌 수 없습니다.

○✕ 퀴즈

비의 성질을 바르게 이용했으면 ○에, 틀리면 ✕에 ○표 하세요.

$6 : 9 = (6÷3) : (9÷3)$
$= 2 : 3$

○   ✕

똑똑한 계산 연습

 비의 성질을 이용하여 비율이 같은 비가 되도록 ☐ 안에 알맞은 수를 써넣으세요.

1 6 : 10 ⇨ (6÷2) : (10÷☐)

⇨ 3 : ☐

2 24 : 27 ⇨ (24÷3) : (27÷☐)

⇨ 8 : ☐

3 24 : 36 ⇨ (24÷☐) : (36÷4)

⇨ ☐ : 9

4 25 : 35 ⇨ (25÷☐) : (35÷5)

⇨ ☐ : 7

5

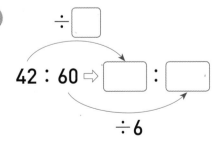

18 : 45 ⇨ 2 : ☐   (÷9, ÷☐)

6

48 : 20 ⇨ 12 : ☐   (÷4, ÷☐)

7

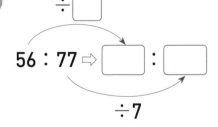

42 : 60 ⇨ ☐ : ☐   (÷☐, ÷6)

8

56 : 77 ⇨ ☐ : ☐   (÷☐, ÷7)

 비의 성질을 이용하여 비율이 같은 비가 되도록 ★에 알맞은 수를 구하세요.

1-1 $7 : 6 \Rightarrow ★ : 24$

★ = ☐

1-2 $15 : 7 \Rightarrow 45 : ★$

★ = ☐

1-3 $34 : 16 \Rightarrow ★ : 8$

★ = ☐

1-4 $42 : 54 \Rightarrow 7 : ★$

★ = ☐

🐻 비의 성질을 이용하여 주어진 비와 비율이 같은 비를 찾아 기호를 쓰세요.

2-1

4 : 7

㉠ 6 : 15   ㉡ 8 : 21
㉢ 7 : 10   ㉣ 12 : 21

☐

2-2

24 : 20

㉠ 20 : 16   ㉡ 6 : 5
㉢ 6 : 4   ㉣ 13 : 10

☐

2-3

3 : 7

㉠ 6 : 10   ㉡ 5 : 14
㉢ 12 : 28   ㉣ 15 : 12

☐

2-4

36 : 63

㉠ 4 : 7   ㉡ 9 : 7
㉢ 3 : 4   ㉣ 63 : 36

☐

생활 속 문제

🐻 가로와 세로의 비가 다음과 같은 액자를 만들려고 합니다. 비의 성질을 이용하여 ■의 값을 구하세요.

3-1 3 : 5

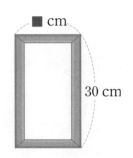
■ cm

30 cm

3 : 5 ⇨ ■ : 30

■ = ☐

3-2 8 : 7

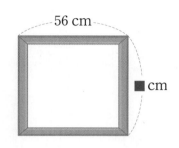
56 cm

■ cm

8 : 7 ⇨ 56 : ■

■ = ☐

3-3 13 : 15

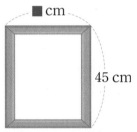
■ cm

45 cm

13 : 15 ⇨ ■ : 45

■ = ☐

3-4 6 : 7

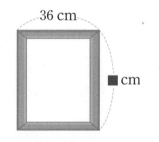
36 cm

■ cm

6 : 7 ⇨ 36 : ■

■ = ☐

4주 1일

문장 읽고 문제 해결하기

4-1
2 : 9의 전항과 후항에 2를 곱하여 비율이 같은 비를 만들면?

 답 ☐ : ☐ _____

4-2
6 : 13의 전항과 후항에 3을 곱하여 비율이 같은 비를 만들면?

 답 ☐ : ☐ _____

4-3
40 : 65의 전항과 후항을 5로 나누어 비율이 같은 비를 만들면?

 답 ☐ : ☐ _____

4-4
54 : 42의 전항과 후항을 6으로 나누어 비율이 같은 비를 만들면?

답 ☐ : ☐ _____

간단한 자연수의 비로 나타내기 ①

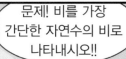

똑똑한 하루 계산법

• 자연수의 비를 간단한 자연수의 비로 나타내기

예 $42 : 72 \Rightarrow (42 \div 2) : (72 \div 2)$

$\Rightarrow 21 : 36$

전항과 후항을 두 수의 공약수로 나누면 간단한 자연수의 비로 나타낼 수 있어요.

예 $42 : 72 \Rightarrow (42 \div 6) : (72 \div 6)$

$\Rightarrow 7 : 12$

전항과 후항을 두 수의 최대공약수로 나누면 가장 간단한 자연수의 비로 나타낼 수 있어요.

똑똑한 계산 연습

▶ 정답 및 풀이 23쪽

제한 시간 4분

간단한 자연수의 비로 나타내려고 합니다. ☐ 안에 알맞은 수를 써넣으세요.

1
30 : 40 ⇨ (30÷2) : (40÷2)
⇨ ☐ : ☐

30 : 40 ⇨ (30÷10) : (40÷10)
⇨ ☐ : ☐

2
60 : 42 ⇨ (60÷3) : (42÷☐)
⇨ 20 : ☐

60 : 42 ⇨ (60÷6) : (42÷☐)
⇨ 10 : ☐

3
70 : 28 ⇨ (70÷☐) : (28÷2)
⇨ ☐ : 14

70 : 28 ⇨ (70÷14) : (28÷☐)
⇨ 5 : ☐

가장 간단한 자연수의 비로 나타내세요.

가장 간단한 자연수의 비로 나타내려면 전항과 후항을 두 수의 최대공약수로 나눠요.

4 56 : 24
⇨ ☐ : ☐

5 32 : 68
⇨ ☐ : ☐

6 56 : 80
⇨ ☐ : ☐

7 28 : 52
⇨ ☐ : ☐

8 20 : 56
⇨ ☐ : ☐

4주
2일

간단한 자연수의 비로 나타내기 ②

똑똑한 하루 계산법

- 분수의 비를 간단한 자연수의 비로 나타내기

(예) $\dfrac{1}{3} : \dfrac{1}{4} \Rightarrow \left(\dfrac{1}{3} \times 12\right) : \left(\dfrac{1}{4} \times \underline{12}\right)$

3과 4의 공배수 12를 곱합니다.

$\Rightarrow 4 : 3$

- 소수의 비를 간단한 자연수의 비로 나타내기

(예) $0.3 : 0.4 \Rightarrow (0.3 \times 10) : (0.4 \times \underline{10})$

$\Rightarrow 3 : 4$

전항과 후항이 소수 한 자리 수이므로 10을 곱하여 자연수의 비로 나타냅니다.

○✕ 퀴즈

주어진 비를 간단한 자연수의 비로 나타낸 것이 바르면 ○에, 틀리면 ✕에 ○표 하세요.

$\dfrac{1}{3} : \dfrac{1}{5}$

$\Rightarrow \left(\dfrac{1}{3} \times 15\right) : \left(\dfrac{1}{5} \times 15\right)$

$\Rightarrow 5 : 3$

정답 ○에 ○표

▶정답 및 풀이 24쪽

제한 시간 4분

비를 간단한 자연수의 비로 나타내려고 합니다. ☐ 안에 알맞은 수를 써넣으세요.

① $\frac{3}{4} : \frac{6}{7} \Rightarrow \left(\frac{3}{4} \times 28\right) : \left(\frac{6}{7} \times \boxed{}\right) \Rightarrow 21 : \boxed{}$

② $\frac{4}{5} : \frac{2}{3} \Rightarrow \left(\frac{4}{5} \times 15\right) : \left(\frac{2}{3} \times \boxed{}\right) \Rightarrow 12 : \boxed{}$

③ $0.7 : 3.5 \Rightarrow (0.7 \times \boxed{}) : (3.5 \times 10) \Rightarrow \boxed{} : 35$

④ $0.13 : 0.15 \Rightarrow (0.13 \times \boxed{}) : (0.15 \times 100) \Rightarrow \boxed{} : 15$

가장 간단한 자연수의 비로 나타내세요.

⑤ $\frac{5}{6} : \frac{4}{9} \Rightarrow 15 : \boxed{}$

⑥ $\frac{6}{7} : \frac{3}{8} \Rightarrow 48 : \boxed{}$

⑦ $\frac{2}{5} : \frac{4}{7} \Rightarrow 7 : \boxed{}$

⑧ $0.4 : 2.8 \Rightarrow 1 : \boxed{}$

⑨ $6.3 : 4.9 \Rightarrow \boxed{} : \boxed{}$

⑩ $0.16 : 0.56 \Rightarrow \boxed{} : \boxed{}$

4주
2일

기초 집중 연습

🐻📖 가장 간단한 자연수의 비로 나타내세요.

1-1

45 : 9

1-2

54 : 60

1-3

2.7 : 4.5

1-4

0.55 : 0.65

1-5

$\dfrac{7}{10} : \dfrac{3}{8}$

1-6

$\dfrac{1}{4} : \dfrac{3}{10}$

🐻📖 분수의 비를 가장 간단한 자연수의 비로 나타내세요.

2-1 $1\dfrac{5}{6} : \dfrac{5}{8}$

⇨ _____

2-2 $1\dfrac{4}{5} : \dfrac{1}{2}$

⇨ _____

대분수는 먼저 가분수로
바꾸어요.

2-3 $1\dfrac{1}{3} : 1\dfrac{2}{5}$

 _____

2-4 $1\dfrac{3}{4} : 1\dfrac{1}{2}$

⇨ _____

2-5 $2\dfrac{2}{3} : 1\dfrac{3}{4}$

⇨ _____

생활 속 문제

🐻 거리의 비를 가장 간단한 자연수의 비로 나타내세요.

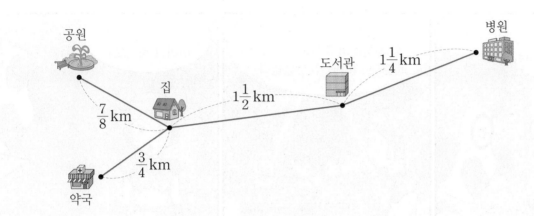

3-1

집~약국	:	집~도서관

⇨ _____

3-2

집~공원	:	집~약국

⇨ _____

3-3

도서관~집	:	도서관~병원

⇨ _____

3-4

집~공원	:	집~도서관

⇨ _____

문장 읽고 문제 해결하기

4-1

레몬즙 0.54 L와 청귤즙 0.82 L가 있을 때 레몬즙과 청귤즙 양의 비를 가장 간단한 자연수의 비로 나타내면?

답 [ ] : [ ] _____

4-2

레몬즙 $\dfrac{3}{5}$ L와 청귤즙 $\dfrac{7}{10}$ L가 있을 때 레몬즙과 청귤즙 양의 비를 가장 간단한 자연수의 비로 나타내면?

답 [ ] : [ ] _____

똑똑한 하루 계산법

• 비례식 알아보기

비례식: 비율이 같은 두 비를 기호 '＝'를 사용하여
나타낸 식

예) $5 : 8 \xrightarrow{\text{비율}} \dfrac{5}{8}$

$10 : 16 \xrightarrow{\text{비율}} \dfrac{10}{16} = \dfrac{5}{8}$ 비율이 같음

$\Rightarrow \quad 5 : 8 = 10 : 16$

5 : 8＝10 : 16을
비례식이라고 합니다.

○✕ 퀴즈

비례식이면 ○에, 아니면
✕에 ○표 하세요.

$2 : 3 = 4 : 6$

○   ✕

똑똑한 계산 연습

제한 시간 3분

🐻 비율이 같은 두 비를 찾아 비례식을 세워 보세요.

①
| 2 : 5 | 4 : 10 | 6 : 8 |

⇨ 2 : 5 = ☐ : ☐

②
| 7 : 4 | 14 : 6 | 21 : 12 |

⇨ 7 : 4 = ☐ : ☐

③
| 20 : 16 | 4 : 3 | 5 : 4 |

⇨ 20 : 16 = ☐ : ☐

④
| 15 : 10 | 3 : 2 | 5 : 2 |

⇨ 15 : 10 = ☐ : ☐

⑤
| 3 : 5 | 5 : 7 | 9 : 15 |

⇨ _____

⑥
| 2 : 5 | 8 : 20 | 6 : 10 |

⇨ _____

 보기 와 같이 비율을 보고 비례식으로 나타내세요.

보기

$$\frac{3}{5} = \frac{6}{10}$$

⇨ 3 : 5 = 6 : 10

⑦ $\frac{7}{9} = \frac{21}{27}$

⇨ _____

⑧ $\frac{5}{6} = \frac{20}{24}$

⇨ _____

⑨ $\frac{8}{15} = \frac{16}{30}$

⇨ _____

⑩ $\frac{4}{7} = \frac{16}{28}$

⇨ _____

⑪ $\frac{5}{11} = \frac{20}{44}$

⇨ _____

다음 식에서 바깥쪽에 있는 5와 16을 외항이라고 합니다.

외항

5 : 8 = 10 : 16

?

그럼 8과 10은 무엇이라고 할까요?

정······.

앗! 삐에로, 네 코가 없어졌어.

정답!

내 코가?

내항입니다.

정답입니다.

지금 뭐 하는 거지?

훗, 승부의 세계는 냉정한 법이지.

똑똑한 하루 계산법

• 외항, 내항 알아보기

비례식 5 : 8 = 10 : 16에서
바깥쪽에 있는 **5**와 **16**을 **외항**, 안쪽에 있는 **8**과 **10**을
내항이라 합니다.

외항

$$5 : 8 = 10 : 16$$

내항

 5는 전항이면서 외항이고 16은 후항이면서 외항이에요.

 8은 후항이면서 내항이고 10은 전항이면서 내항이에요.

🐻 □ 안에 알맞은 수를 써넣으세요.

1 외항: **5**, ☐

$$5 : 3 = 15 : 9$$

내항: **3**, ☐

2 외항: **8**, ☐

$$8 : 12 = 24 : 36$$

내항: **12**, ☐

3 외항: **5**, ☐

$$5 : 2 = 35 : 14$$

내항: **2**, ☐

4 외항: **6**, ☐

$$6 : 7 = 18 : 21$$

내항: **7**, ☐

5 외항: **7**, ☐

$$7 : 8 = 49 : 56$$

내항: **8**, ☐

6 외항: **9**, ☐

$$9 : 13 = 27 : 39$$

내항: **13**, ☐

4주
3일

🐻 비례식을 보고 외항과 내항을 각각 쓰세요.

7 $6 : 11 = 30 : 55$

외항 _____

내항 _____

8 $7 : 5 = 28 : 20$

외항 _____

내항 _____

9 $9 : 13 = 36 : 52$

외항 _____

내항 _____

10 $8 : 15 = 24 : 45$

외항 _____

내항 _____

기초 집중 연습

🐻 비율이 같은 비를 보기 에서 찾아 비례식으로 나타내려고 합니다. ☐ 안에 알맞은 수를 써넣으세요.

보기
| 8 : 10 | 6 : 9 | 5 : 1 | 3 : 9 |

1-1 4 : 5 = ☐ : ☐   **1**-2 1 : 3 = ☐ : ☐

1-3 12 : 18 = ☐ : ☐   **1**-4 15 : 3 = ☐ : ☐

🐻 비율이 같은 두 비를 찾아 비례식을 세워 보세요.

2-1
| 3 : 7 | 6 : 7 |
| 12 : 15 | 9 : 21 |

_____

2-2
| 3 : 4 | 9 : 11 |
| 5 : 6 | 12 : 16 |

_____

2-3
| 3 : 7 | 6 : 7 |
| 54 : 63 | 10 : 13 |

_____

2-4
| 5 : 13 | 8 : 17 |
| 15 : 23 | 16 : 34 |

_____

⏰ 제한 시간 10분

생활 속 문제

🐻 외항과 내항을 바르게 찾은 학생은 ○표, 잘못 찾은 학생은 ×표 하세요.

3-1

2 : 7＝4 : 14
┌외항: 2, 14
└내항: 7, 4

3-2

3 : 5＝15 : 25
┌외항: 3, 5
└내항: 15, 25

3-3

3 : 2＝9 : 6
┌외항: 3, 6
└내항: 2, 9

3-4

9 : 7＝63 : 49
┌외항: 7, 49
└내항: 9, 63

3-5

7 : 2＝21 : 6
┌외항: 7, 6
└내항: 2, 21

3-6

13 : 26＝1 : 2
┌외항: 13, 2
└내항: 26, 1

4주
3일

문장 읽고 문제 해결하기

4-1
비례식 17 : 15＝34 : 30에서 외항이면서 전항인 수는?

답

4-2
비례식 5 : 9＝25 : 45에서 내항이면서 후항인 수는?

답

비례식의 성질 ①

비례식의 성질을 말씀드리면 외항의 곱과 내항의 곱은 같습니다.

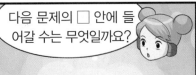

다음 문제의 □ 안에 들어갈 수는 무엇일까요?

(외항의 곱)=3×6=18

3 : 2 = 9 : 6

(내항의 곱)=2×9=□

정…

삐에로, 저글링이다!!

유후~.

작전 성공!

정답!!

18입니다.

정답입니다!

으아악!! 내가 무슨 짓을!

푸하하!

똑똑한 하루 계산법

• **비례식의 성질**

비례식에서 **외항의 곱과 내항의 곱은 같습니다.**

(외항의 곱)=3×6=18

^예 **3 : 2 = 9 : 6**

(내항의 곱)=2×9=18

참고

5×14=70

5 : 7 = 10 : 14

7×10=70

⇨ 외항의 곱과 내항의 곱이 같으므로 비례식이 맞습니다.

 ○× 퀴즈

비례식의 성질을 이용하여 비례식이 맞으면 ○에, 틀리면 ✗에 ○표 하세요.

4×8=32

4 : 3 = 6 : 8

3×6=18

 ○   ✗

정답 ✗에 ○표

비례식에서 외항의 곱과 내항의 곱을 구하세요.

1

$2 : 5 = 10 : 25$

외항의 곱	$2 \times \boxed{} = \boxed{}$
내항의 곱	$5 \times \boxed{} = \boxed{}$

2

$4 : 7 = 12 : 21$

외항의 곱	$4 \times \boxed{} = \boxed{}$
내항의 곱	$7 \times \boxed{} = \boxed{}$

3

$0.5 : 0.9 = 20 : 36$

외항의 곱	$0.5 \times \boxed{} = \boxed{}$
내항의 곱	$0.9 \times \boxed{} = \boxed{}$

□ 안에 알맞은 수를 써넣고 비례식이면 ○표, 비례식이 아니면 ×표 하세요.

4 $9 \times 42 = \boxed{}$

$9 : 7 = 54 : 42$ (   )

$7 \times 54 = \boxed{}$

5 $2 \times 21 = \boxed{}$

$2 : 3 = 14 : 21$ (   )

$3 \times 14 = \boxed{}$

6 $\dfrac{4}{5} \times 5 = \boxed{}$

$\dfrac{4}{5} : \dfrac{3}{10} = 8 : 5$ (   )

$\dfrac{3}{10} \times 8 = \boxed{}$

7 $1.3 \times 4 = \boxed{}$

$1.3 : 0.5 = 13 : 4$ (   )

$0.5 \times 13 = \boxed{}$

똑똑한 하루 계산법

• 비례식의 성질의 활용

비례식의 성질을 이용하여 ●의 값을 구해봐요.

$$4 \times ●$$

$$4 : 7 = 20 : ●$$

$$7 \times 20$$

$$4 \times ● = 7 \times 20$$
$$4 \times ● = 140$$
$$● = 140 \div 4$$
$$● = 35$$

비례식에서 외항의 곱과 내항의 곱이 같다는 것을 꼭 기억해요.

비례식의 성질을 이용하여 ●의 값을 구하세요.

①
$$4 : 5 = 12 : ●$$

$4 × ● = 5 × 12$

$4 × ● = \boxed{}$

$● = \boxed{} ÷ 4$

$● = \boxed{}$

②
$$7 : 2 = 49 : ●$$

$7 × ● = 2 × 49$

$7 × ● = \boxed{}$

$● = \boxed{} ÷ 7$

$● = \boxed{}$

③
$$3 : 11 = ● : 44$$

$3 × 44 = 11 × ●$

$11 × ● = \boxed{}$

$● = \boxed{} ÷ 11$

$● = \boxed{}$

④
$$16 : 20 = ● : 5$$

$16 × 5 = 20 × ●$

$20 × ● = \boxed{}$

$● = \boxed{} ÷ 20$

$● = \boxed{}$

⑤
$$2.4 : 1.6 = ● : 2$$

$2.4 × 2 = 1.6 × ●$

$1.6 × ● = \boxed{}$

$● = \boxed{} ÷ 1.6$

$● = \boxed{}$

⑥
$$3 : 2\frac{5}{8} = 8 : ●$$

$3 × ● = 2\frac{5}{8} × 8$

$3 × ● = \boxed{}$

$● = \boxed{} ÷ 3$

$● = \boxed{}$

🐻 비례식이 바른 것을 찾아 기호를 쓰세요.

1-1

㉠ 4 : 5＝35 : 78
㉡ 10 : 3＝50 : 15
㉢ 4 : 10＝36 : 96

☐

1-2

㉠ 3 : 7＝12 : 28
㉡ 13 : 15＝30 : 32
㉢ 7 : 12＝35 : 72

☐

1-3

㉠ 5 : 4＝35 : 30
㉡ 7 : 4＝35 : 20
㉢ 15 : 7＝45 : 42

☐

1-4

㉠ 8 : 9＝24 : 26
㉡ 12 : 15＝36 : 48
㉢ 2 : 3＝14 : 21

☐

🐻 비례식에서 외항의 곱이 주어졌을 때 ㉠과 ㉡을 각각 구하세요.

2-1

외항의 곱 180
㉠ : 9＝㉡ : 36

㉠＝☐
㉡＝☐

2-2

외항의 곱 105
㉠ : 3＝㉡ : 15

㉠＝☐
㉡＝☐

2-3

외항의 곱 70
5 : ㉠＝10 : ㉡

㉠＝☐
㉡＝☐

2-4

외항의 곱 168
8 : ㉠＝24 : ㉡

㉠＝☐
㉡＝☐

제한 시간 10분

생활 속 계산

🐻 마을별 밭에서 생산한 감자와 고구마의 무게의 비가 각각 다음과 같을 때 비례식의 성질을 이용하여
★에 알맞은 수를 구하세요.

3-1  감자 ★ kg 고구마 35 kg

$4 : 7 = ★ : 35$

$★ = \boxed{}$

3-2 감자 32 kg 고구마 ★ kg

$4 : 3 = 32 : ★$

$★ = \boxed{}$

3-3 감자 48 kg 고구마 27 kg

$16 : ★ = \boxed{} : \boxed{}$

$★ = \boxed{}$

문장 읽고 문제 해결하기

4-1

종이꽃 2개를 만들려면 색종이 3장
이 필요합니다. 종이꽃 6개를 만들
려면 필요한 색종이는 몇 장?

→●장

비례식 $2 : 3 = \boxed{} : ●$

답 _____ 장

4-2

종이꽃 2개를 만들려면 색종이 5장
이 필요합니다. 종이꽃 4개를 만들
려면 필요한 색종이는 몇 장?

→●장

비례식 $2 : 5 = \boxed{} : ●$

답 _____ 장

4-3

사과 3개에 2400원일 때 7200원으
로 살 수 있는 사과는 몇 개?

답 _____ 개

4-4

귤 8개에 3000원일 때 12000원으
로 살 수 있는 귤은 몇 개?

답 _____ 개

비례배분 ①

똑똑한 하루 계산법

- **비례배분 알아보기**

  비례배분: 전체를 주어진 비로 배분하는 것

  (예) 15를 2 : 3으로 나누기

  $$15 \times \frac{2}{2+3} = 15 \times \frac{2}{5} = 6$$
  $$15 \times \frac{3}{2+3} = 15 \times \frac{3}{5} = 9$$

○✕ 퀴즈

비례배분을 바르게 했으면 ○에, 틀렸으면 ✕에 ○표 하세요.

10을 2 : 3으로 비례배분하기

$$10 \times \frac{2}{5} = 4$$
$$10 \times \frac{3}{5} = 6$$

정답 ○에 ○표

▶정답 및 풀이 26쪽

제한 시간 | 3분

 　　　 안의 수를 주어진 비로 나누어 보세요.

1　42　　3 : 4

$$42 \times \frac{3}{3+4} = \boxed{}$$

$$42 \times \frac{\boxed{}}{3+4} = \boxed{}$$

2　56　　5 : 2

$$56 \times \frac{5}{5+2} = \boxed{}$$

$$56 \times \frac{\boxed{}}{5+\boxed{}} = \boxed{}$$

3　56　　9 : 5

$$56 \times \frac{9}{9+5} = \boxed{}$$

$$56 \times \frac{\boxed{}}{9+\boxed{}} = \boxed{}$$

4　99　　8 : 3

$$99 \times \frac{8}{8+3} = \boxed{}$$

$$99 \times \frac{\boxed{}}{8+\boxed{}} = \boxed{}$$

5　63　　4 : 3

$$63 \times \frac{4}{4+3} = \boxed{}$$

$$63 \times \frac{\boxed{}}{4+\boxed{}} = \boxed{}$$

6　84　　7 : 5

$$84 \times \frac{7}{7+5} = \boxed{}$$

$$84 \times \frac{\boxed{}}{7+\boxed{}} = \boxed{}$$

4주
5일

비례배분 ②

앗!! 꿈!!

시험 시간에 잠을 자면 어떡해!!

수학 시험이구나.

배추 63포기를 가족 수에 따라 나누어 주려고 합니다. 지혜네 가족은 4명, 준기네 가족은 5명 이라면 배추를 몇 포기씩 나누어 주어야 할까요?

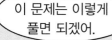

이 문제는 이렇게 풀면 되겠어.

지혜네 가족:

$$63 \times \frac{4}{4+5} = 63 \times \frac{4}{9} = 28(포기)$$

준기네 가족:

$$63 \times \frac{5}{4+5} = 63 \times \frac{5}{9} = 35(포기)$$

네가 왠일이야. 수학이 100점이네.

그… 그러게.

사실 꿈에서……

어? 이건 뭐지?

야! 그걸 왜 주워!! 얼른 버려!

왜 그래? 같이 가.

똑똑한 하루 계산법

• 비례배분의 활용

ⓔ 호범이와 은율이가 사탕 18개를 **2 : 7**로 나누어 가지기

호범: $18 \times \dfrac{2}{2+7} = 18 \times \dfrac{2}{9} = 4(개)$

은율: $18 \times \dfrac{7}{2+7} = 18 \times \dfrac{7}{9} = 14(개)$

○× 퀴즈

비례배분을 바르게 했으면 ○에, 틀렸으면 ✗에 ○표 하세요.

빵 36개를 리하와 재호가 4 : 5로 나누어 가지기

리하: $36 \times \dfrac{4}{9} = 16(개)$

재호: $36 \times \dfrac{5}{9} = 20(개)$

정답 ○에 ○표

똑똑한 계산 연습

⏰ 제한 시간 3분

📖 비례배분하여 해결해 보세요.

1 과자 **100**개를 **2 : 3**으로 나누기

$$100 \times \frac{2}{\boxed{}} = \boxed{}(개), \quad 100 \times \frac{3}{\boxed{}} = \boxed{}(개)$$

2 사탕 **200**개를 **1 : 3**으로 나누기

$$200 \times \frac{1}{\boxed{}} = \boxed{}(개), \quad 200 \times \frac{3}{\boxed{}} = \boxed{}(개)$$

3 리본 **350** cm를 **1 : 4**로 나누기

$$350 \times \frac{1}{\boxed{}} = \boxed{}(cm), \quad 350 \times \frac{4}{\boxed{}} = \boxed{}(cm)$$

4 빵 **240**개를 **3 : 5**로 나누기

$$240 \times \frac{3}{\boxed{}} = \boxed{}(개), \quad 240 \times \frac{5}{\boxed{}} = \boxed{}(개)$$

5 밀가루 **600** g을 **5 : 7**로 나누기

$$600 \times \frac{5}{\boxed{}} = \boxed{}(g), \quad 600 \times \frac{7}{\boxed{}} = \boxed{}(g)$$

4주
5일

기초 집중 연습

🐻 비례배분을 해 보세요.

1-1

72를 4 : 5로 나누기

$$72 \times \frac{4}{9} = \boxed{}$$

$$72 \times \frac{\boxed{}}{9} = \boxed{}$$

1-2

120을 2 : 3으로 나누기

$$120 \times \frac{2}{5} = \boxed{}$$

$$120 \times \frac{\boxed{}}{5} = \boxed{}$$

1-3

4200원을 11 : 3으로 나누기

$$4200 \times \frac{11}{14} = \boxed{} \text{(원)}$$

$$4200 \times \frac{\boxed{}}{14} = \boxed{} \text{(원)}$$

1-4

6000원을 7 : 8로 나누기

$$6000 \times \frac{7}{15} = \boxed{} \text{(원)}$$

$$6000 \times \frac{\boxed{}}{15} = \boxed{} \text{(원)}$$

🐻 수를 주어진 비로 나누어 ☐ 안에 알맞은 수를 써넣으세요.

2-1   36

2 : 7

$$\boxed{} , \boxed{}$$

2-2   90

7 : 8

$$\boxed{} , \boxed{}$$

2-3   156

7 : 5

$$\boxed{} , \boxed{}$$

2-4   192

13 : 11

$$\boxed{} , \boxed{}$$

생활 속 계산

🐻 농장에서 수확한 농작물을 두 상자에 쓰인 수의 비로 각각 나누어 담으려고 합니다. 각 상자에 몇 개씩 담아야 하는지 구하세요.

3-1

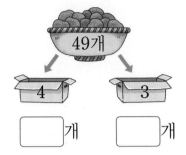

49개 → 4, 3

☐ 개   ☐ 개

3-2

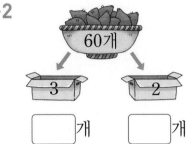

60개 → 3, 2

☐ 개   ☐ 개

3-3

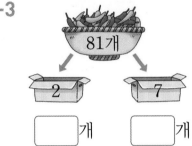

81개 → 2, 7

☐ 개   ☐ 개

3-4

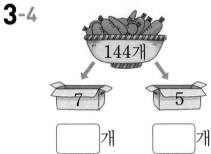

144개 → 7, 5

☐ 개   ☐ 개

4주
5일

문장 읽고 계산식 세우기

4-1

배 84개를 형과 동생이 4 : 3으로 나누어 가질 때 형이 가지는 배는 몇 개?

식 _____

$$84 \times \frac{\boxed{}}{7} = \boxed{} (개)$$

4-2

배 55개를 형과 동생이 7 : 4로 나누어 가질 때 동생이 가지는 배는 몇 개?

식 _____

$$55 \times \frac{\boxed{}}{11} = \boxed{} (개)$$

4-3

4000원을 언니와 동생이 5 : 3으로 나누어 가질 때 동생이 가지는 돈은 얼마?

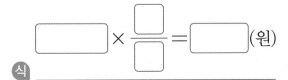

식 _____

$$\boxed{} \times \frac{\boxed{}}{\boxed{}} = \boxed{} (원)$$

4-4

9600원을 언니와 동생이 9 : 7로 나누어 가질 때 언니가 가지는 돈은 얼마?

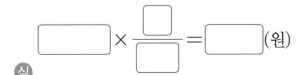

식 _____

$$\boxed{} \times \frac{\boxed{}}{\boxed{}} = \boxed{} (원)$$

비의 성질을 이용하여 ☐ 안에 알맞은 수를 써넣으세요.

1 $4 : 7 \Rightarrow 16 : $ ☐

2 $81 : 54 \Rightarrow $ ☐ $: 6$

3 $9 : 8 \Rightarrow $ ☐ $: 48$

4 $54 : 72 \Rightarrow 9 : $ ☐

가장 간단한 자연수의 비로 나타내세요.

5 $36 : 90 \Rightarrow$ _____

6 $51 : 36 \Rightarrow$ _____

7 $\dfrac{2}{3} : \dfrac{5}{6} \Rightarrow$ _____

8 $\dfrac{7}{20} : \dfrac{2}{5} \Rightarrow$ _____

9 $2.4 : 1.6 \Rightarrow$ _____

10 $0.65 : 1.95 \Rightarrow$ _____

🐻 비례식의 성질을 이용하여 ■에 알맞은 수를 구하세요.

⑪ $8 : 9 = ■ : 63$

( )

⑫ $5 : 7 = 40 : ■$

( )

⑬ $16 : 20 = ■ : 5$

( )

⑭ $■ : 36 = 3 : 4$

( )

⑮ $2 : ■ = 10 : 65$

( )

⑯ $■ : 9 = 96 : 72$

( )

4주
평가

🐻 ☐ 안의 수를 주어진 비로 나누어 (,) 안에 써넣으세요.

⑰ 33 $4 : 7$ ⇨ (,)

⑱ 77 $4 : 3$ ⇨ (,)

⑲ 80 $11 : 5$ ⇨ (,)

⑳ 65 $8 : 5$ ⇨ (,)

제한 시간 안에 정확하게 모두 풀었다면
여러분은 진정한 계산왕!

폐식용유로 비누 만들기

가성소다와 폐식용유를 1 : 8의 비율로 섞으려고 합니다. 가성소다의 양이 300 g일 때 필요한 폐식용유는 몇 g일까요?

필요한 폐식용유의 양을 ●라 하고 비례식을 세운 후 답을 구하세요.

비례식 ☐ : ☐ = ☐ : ●

답 _____ g

▶ 정답 및 풀이 28쪽

전기 자동차의 충전 시간 구하기

 다음을 읽고 전기 자동차가 600 km를 달리려면 몇 분 동안 충전해야 하는지 구하세요.

4주

특강

 전기 자동차의 충전 시간과
달릴 수 있는 거리의 비는

☐ : ☐ 이야.

600 km를 달리는 데 필요한 충전 시간을
●분이라 하고 비례식을 세워 보자.

☐ : ☐ = ● : ☐

답 _____ 분

특강 창의·융합·코딩

 빨간색 파프리카의 영양성분을 조사했더니 다음과 같았습니다. 단백질과 지방의 비를 가장 간단한 자연수의 비로 나타내세요.

100 g당 영양성분

탄수화물	단백질	지방	당류
6.42 g	0.91 g	0.13 g	2.65 g

답 _____

 10분 동안 운동을 했을 때 소모되는 열량을 나타낸 표입니다. 두 운동을 했을 때 소모되는 열량의 비를 가장 간단한 자연수의 비로 나타내세요.

계단 오르기	스트레칭	자전거 타기	줄넘기
21 kcal	16 kcal	28 kcal	68 kcal

└─▶ 킬로칼로리라고 읽어요.

열량은 운동을 했을 때 몸에서 발생하는 에너지를 말해요.

(1)

⇒ _____

(2)

⇒ _____

▶정답 및 풀이 28쪽

창의 **5** 체험학습으로 박물관에 갔습니다. 박물관의 와이파이 비밀번호를 구하세요.

4주

특강

보기 에 있는 분수의 비를 가장 간단한 자연수의 비로 나타내었을 때 후항의 수를 번호 순서대로 쓰면 와이파이 비밀번호가 돼요.

보기

① $\dfrac{3}{4} : \dfrac{1}{5}$ ② $\dfrac{7}{20} : \dfrac{2}{5}$

③ $1\dfrac{3}{7} : 1\dfrac{4}{21}$ ④ $2\dfrac{2}{5} : 1\dfrac{4}{5}$

와이파이 비밀번호: ① ② ③ ④

답 _____

 비례식이 맞으면 ➡ 방향, 아니면 ⬇ 방향으로 길을 따라가면 호범이의 생일 선물을 알 수 있습니다. 호범이의 생일 선물은 무엇일까요?

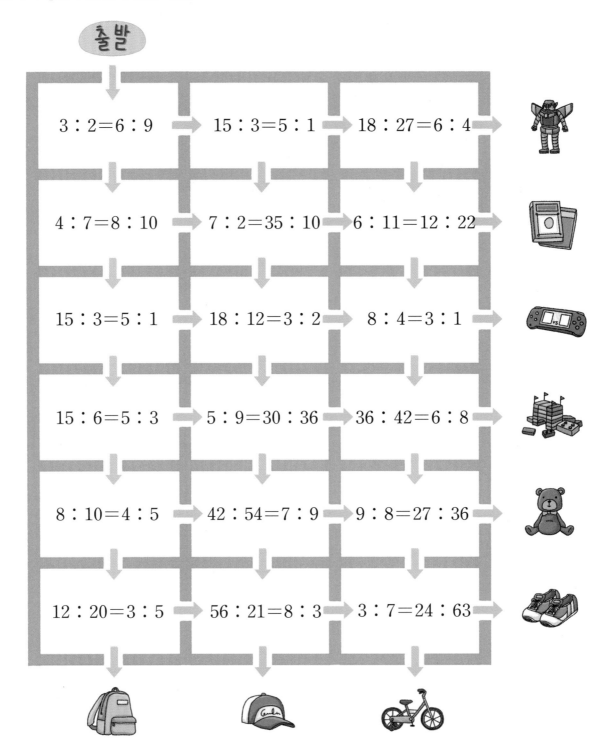

출발

$3:2=6:9$ $15:3=5:1$ $18:27=6:4$

$4:7=8:10$ $7:2=35:10$ $6:11=12:22$

$15:3=5:1$ $18:12=3:2$ $8:4=3:1$

$15:6=5:3$ $5:9=30:36$ $36:42=6:8$

$8:10=4:5$ $42:54=7:9$ $9:8=27:36$

$12:20=3:5$ $56:21=8:3$ $3:7=24:63$

답 _____

7 텃밭에서 수확한 배추 72포기를 가족 수에 따라 나누어 주려고 합니다. 배추를 몇 포기씩 나누어 주어야 할지 구하세요.

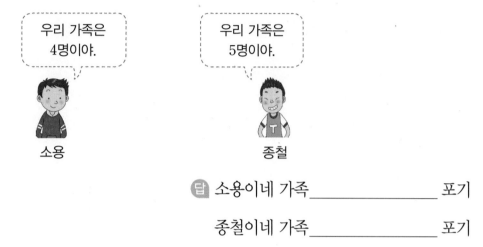

우리 가족은 4명이야.

우리 가족은 5명이야.

소용

종철

답 소용이네 가족＿＿＿＿＿＿＿ 포기

종철이네 가족＿＿＿＿＿＿＿ 포기

4주

특강

 8 수 480을 넣으면 A : B로 비례배분하여 나오는 코딩 과정입니다. ☐ 안에 알맞은 수를 써넣고, 출력되어 나오는 값을 구하세요.

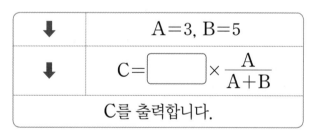

↓	A=3, B=5
↓	$C = \boxed{} \times \dfrac{A}{A+B}$
C를 출력합니다.	

답 ＿＿＿＿＿＿＿＿＿

하루하루 쌓이는 수학 자신감!

똑똑한 하루
수학 시리즈

초등 수학 첫 걸음

수학 공부, 절대 지루하면 안 되니까~
하루 10분 학습 커리큘럼으로
쉽고 재미있게 수학과 친해지기!

학습 영양 밸런스

〈수학〉은 물론 〈계산〉, 〈도형〉, 〈사고력〉편까지
초등 수학 전 영역을 커버하는 맞춤형 교재로
편식은 NO! 완벽한 수학 영양 밸런스!

창의·사고력 확장

초등학생에게 꼭 필요한 수학 지식과
창의·융합·사고력 확장을 위한
재미있는 문제 구성으로 힘찬 워밍업!

우리 아이 공부 습관 프로젝트!

하루 계산 (총 6단계, 12권)

하루 도형 (총 6단계, 6권)

하루 수학 (총 6단계, 12권)

하루 사고력 (총 6단계, 12권)

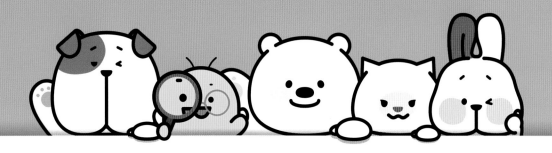

⚔ 쉽다!

10분이면 하루치 공부를 마칠 수 있는 커리큘럼으로,
아이들이 초등 학습에 쉽고 재미있게 접근할 수 있도록 구성하였습니다.

🧩 재미있다!

교과서는 물론 생활 속에서 쉽게 접할 수 있는 다양한 소재와
재미있는 게임 형식의 문제로 흥미로운 학습이 가능합니다.

📖 똑똑하다!

초등학생에게 꼭 필요한 학습 지식 습득은 물론
창의력 확장까지 가능한 교재로 올바른 공부습관을 가지는 데 도움을 줍니다.

정답 및 풀이

똑똑한
하루
계산

초등
수학 **6B** 6학년 수준

천재교육

정답 및 풀이
포인트 3가지

▶ 혼자서도 이해할 수 있는 문제 풀이

▶ 자세한 풀이 제시

▶ 참고·주의 등 풍부한 보충 설명

정답 및 풀이

1주 · 분수의 나눗셈 (1)

6~7쪽 | **1주에 배울 내용을 알아볼까요? ②**

1-1 $4, \dfrac{5}{28}$ 　　**1**-2 $7, \dfrac{3}{56}$

1-3 $4, \dfrac{17}{12}, 1\dfrac{5}{12}$ 　　**1**-4 $2, \dfrac{21}{10}, 2\dfrac{1}{10}$

2-1 $10, 7, \dfrac{10}{21}$ 　　**2**-2 $17, 6, \dfrac{17}{42}$

2-3 $\dfrac{25}{48}$ 　　**2**-4 $\dfrac{21}{40}$

2-3 $4\dfrac{1}{6} \div 8 = \dfrac{25}{6} \times \dfrac{1}{8} = \dfrac{25}{48}$

2-4 $2\dfrac{5}{8} \div 5 = \dfrac{21}{8} \times \dfrac{1}{5} = \dfrac{21}{40}$

9쪽 | **똑똑한 계산 연습**

① $6, 1, 6$ 　② $3, 1, 3$ 　③ $4, 1, 4$
④ $7, 1, 7$ 　⑤ 8 　　⑥ 4
⑦ 8 　　　⑧ 7 　　⑨ 11
⑩ 10 　　⑪ 20 　　⑫ 16

11쪽 | **똑똑한 계산 연습**

① $4, 2$ 　　② $2, 2$ 　　③ $9, 3, 3$
④ $10, 2, 5$ ⑤ 4 　　⑥ 3
⑦ 2 　　　⑧ 5 　　⑨ 3
⑩ 2 　　　⑪ 5 　　⑫ 3

12~13쪽 | **기초 집중 연습**

1-1 3 　　　　　**1**-2 4
1-3 3 　　　　　**1**-4 4
2-1 9 　　　　　**2**-2 12
2-3 4 　　　　　**2**-4 4
3-1 4 　　　　　**3**-2 5
3-3 3 　　　　　**3**-4 3
4-1 $\dfrac{1}{8}, 5$ 　　　**4**-2 $\dfrac{2}{21}, 5$

3-1 $\dfrac{28}{29} \div \dfrac{7}{29} = 28 \div 7 = 4$(컵)

3-2 $\dfrac{25}{27} \div \dfrac{5}{27} = 25 \div 5 = 5$(컵)

3-3 $\dfrac{27}{31} \div \dfrac{9}{31} = 27 \div 9 = 3$(컵)

3-4 $\dfrac{33}{34} \div \dfrac{11}{34} = 33 \div 11 = 3$(컵)

15쪽 | **똑똑한 계산 연습**

① $5, \dfrac{2}{5}$ 　　② $7, \dfrac{5}{7}$
③ $3, 7, \dfrac{3}{7}$ 　④ $11, \dfrac{5}{11}$
⑤ $\dfrac{7}{9}$ 　　　⑥ $\dfrac{3}{7}$
⑦ $\dfrac{3}{7}$ 　　　⑧ $\dfrac{4}{13}$
⑨ $\dfrac{6}{7}$ 　　　⑩ $\dfrac{12}{17}$
⑪ $\dfrac{11}{15}$ 　　　⑫ $\dfrac{5}{12}$

⑨ $\dfrac{6}{11} \div \dfrac{7}{11} = 6 \div 7 = \dfrac{6}{7}$

⑩ $\dfrac{12}{25} \div \dfrac{17}{25} = 12 \div 17 = \dfrac{12}{17}$

⑪ $\dfrac{11}{26} \div \dfrac{15}{26} = 11 \div 15 = \dfrac{11}{15}$

⑫ $\dfrac{5}{19} \div \dfrac{12}{19} = 5 \div 12 = \dfrac{5}{12}$

17쪽 | **똑똑한 계산 연습**

① $5, \dfrac{6}{5}, 1\dfrac{1}{5}$ 　② $3, \dfrac{8}{3}, 2\dfrac{2}{3}$
③ $2\dfrac{1}{4}$ 　　　④ $1\dfrac{3}{7}$
⑤ $1\dfrac{4}{5}$ 　　　⑥ $2\dfrac{1}{3}$
⑦ $1\dfrac{1}{9}$ 　　　⑧ $1\dfrac{1}{4}$
⑨ $1\dfrac{4}{7}$ 　　　⑩ $2\dfrac{2}{3}$

정답

풀이

③ $\dfrac{9}{11}\div\dfrac{4}{11}=9\div4=\dfrac{9}{4}=2\dfrac{1}{4}$

④ $\dfrac{10}{13}\div\dfrac{7}{13}=10\div7=\dfrac{10}{7}=1\dfrac{3}{7}$

⑤ $\dfrac{9}{14}\div\dfrac{5}{14}=9\div5=\dfrac{9}{5}=1\dfrac{4}{5}$

⑥ $\dfrac{7}{10}\div\dfrac{3}{10}=7\div3=\dfrac{7}{3}=2\dfrac{1}{3}$

⑦ $\dfrac{10}{17}\div\dfrac{9}{17}=10\div9=\dfrac{10}{9}=1\dfrac{1}{9}$

⑧ $\dfrac{5}{7}\div\dfrac{4}{7}=5\div4=\dfrac{5}{4}=1\dfrac{1}{4}$

⑨ $\dfrac{11}{12}\div\dfrac{7}{12}=11\div7=\dfrac{11}{7}=1\dfrac{4}{7}$

⑩ $\dfrac{8}{19}\div\dfrac{3}{19}=8\div3=\dfrac{8}{3}=2\dfrac{2}{3}$

18~19쪽	기초 집중 연습

1-1 **1-2**

2-1 $\dfrac{7}{11}$ **2-2** $1\dfrac{5}{9}$

2-3 $\dfrac{10}{17}$ **2-4** $1\dfrac{1}{13}$

2-5 $1\dfrac{7}{8}$ **2-6** $\dfrac{5}{18}$

3-1 $1\dfrac{5}{9}$ **3-2** $1\dfrac{7}{8}$

3-3 $\dfrac{10}{19}$ **3-4** $\dfrac{7}{11}$

4-1 $\dfrac{8}{9}$, $\dfrac{5}{8}$ **4-2** $\dfrac{9}{11}$, $\dfrac{8}{9}$

3-1 (초록색 리본의 길이)÷(파란색 리본의 길이)
$=\dfrac{14}{17}\div\dfrac{9}{17}=14\div9=\dfrac{14}{9}=1\dfrac{5}{9}$(배)

3-2 $\dfrac{15}{19}\div\dfrac{8}{19}=15\div8=\dfrac{15}{8}=1\dfrac{7}{8}$(배)

3-3 $\dfrac{10}{23}\div\dfrac{19}{23}=10\div19=\dfrac{10}{19}$(배)

3-4 $\dfrac{7}{12}\div\dfrac{11}{12}=7\div11=\dfrac{7}{11}$(배)

4-1 (과학책의 무게)÷(동화책의 무게)
$=\dfrac{5}{9}\div\dfrac{8}{9}=5\div8=\dfrac{5}{8}$(배)

4-2 (영어책의 무게)÷(소설책의 무게)
$=\dfrac{8}{11}\div\dfrac{9}{11}=8\div9=\dfrac{8}{9}$(배)

21쪽	똑똑한 계산 연습

① 12, 12, 2, 6 **②** 9, 14, 9, 14, $\dfrac{9}{14}$

③ $\dfrac{32}{45}$ **④** $\dfrac{20}{21}$

⑤ 2 **⑥** $3\dfrac{1}{2}$

⑦ $\dfrac{7}{9}$ **⑧** $\dfrac{5}{12}$

⑨ $\dfrac{3}{4}$ **⑩** $\dfrac{5}{6}$

③ $\dfrac{4}{9}\div\dfrac{5}{8}=\dfrac{32}{72}\div\dfrac{45}{72}=32\div45=\dfrac{32}{45}$

④ $\dfrac{5}{7}\div\dfrac{3}{4}=\dfrac{20}{28}\div\dfrac{21}{28}=20\div21=\dfrac{20}{21}$

⑤ $\dfrac{5}{6}\div\dfrac{5}{12}=\dfrac{10}{12}\div\dfrac{5}{12}=10\div5=2$

⑥ $\dfrac{7}{8}\div\dfrac{1}{4}=\dfrac{7}{8}\div\dfrac{2}{8}=7\div2=\dfrac{7}{2}=3\dfrac{1}{2}$

⑦ $\dfrac{7}{24}\div\dfrac{3}{8}=\dfrac{7}{24}\div\dfrac{9}{24}=7\div9=\dfrac{7}{9}$

⑧ $\dfrac{5}{16}\div\dfrac{3}{4}=\dfrac{5}{16}\div\dfrac{12}{16}=5\div12=\dfrac{5}{12}$

⑨ $\dfrac{15}{32} \div \dfrac{5}{8} = \dfrac{15}{32} \div \dfrac{20}{32} = 15 \div 20 = \dfrac{15}{20} = \dfrac{3}{4}$

⑩ $\dfrac{10}{21} \div \dfrac{4}{7} = \dfrac{10}{21} \div \dfrac{12}{21} = 10 \div 12 = \dfrac{10}{12} = \dfrac{5}{6}$

23쪽	똑똑한 계산 연습

❶ $\dfrac{5}{4}, \dfrac{5}{8}$

❷ $\dfrac{9}{7}, \dfrac{36}{49}$

❸ $\dfrac{7}{3}, \dfrac{35}{24}, 1\dfrac{11}{24}$

❹ $1\dfrac{11}{24}$

❺ $\dfrac{28}{75}$

❻ $1\dfrac{1}{55}$

❼ $1\dfrac{3}{7}$

❽ $\dfrac{8}{9}$

❾ $\dfrac{15}{16}$

❿ $1\dfrac{1}{9}$

⓫ $1\dfrac{5}{13}$

❹ $\dfrac{7}{12} \div \dfrac{2}{5} = \dfrac{7}{12} \times \dfrac{5}{2} = \dfrac{35}{24} = 1\dfrac{11}{24}$

❺ $\dfrac{4}{15} \div \dfrac{5}{7} = \dfrac{4}{15} \times \dfrac{7}{5} = \dfrac{28}{75}$

❻ $\dfrac{7}{11} \div \dfrac{5}{8} = \dfrac{7}{11} \times \dfrac{8}{5} = \dfrac{56}{55} = 1\dfrac{1}{55}$

❼ $\dfrac{5}{6} \div \dfrac{7}{12} = \dfrac{5}{\overset{}{\underset{1}{6}}} \times \dfrac{\overset{2}{12}}{7} = \dfrac{10}{7} = 1\dfrac{3}{7}$

❽ $\dfrac{14}{27} \div \dfrac{7}{12} = \dfrac{14}{\underset{9}{27}}^{2} \times \dfrac{\overset{4}{12}}{7}_{1} = \dfrac{8}{9}$

❾ $\dfrac{9}{16} \div \dfrac{3}{5} = \dfrac{\overset{3}{9}}{16} \times \dfrac{5}{\underset{1}{3}} = \dfrac{15}{16}$

❿ $\dfrac{4}{9} \div \dfrac{2}{5} = \dfrac{\overset{2}{4}}{9} \times \dfrac{5}{\underset{1}{2}} = \dfrac{10}{9} = 1\dfrac{1}{9}$

⓫ $\dfrac{8}{13} \div \dfrac{4}{9} = \dfrac{\overset{2}{8}}{13} \times \dfrac{9}{\underset{1}{4}} = \dfrac{18}{13} = 1\dfrac{5}{13}$

24~25쪽	기초 집중 연습

1-1 $\dfrac{1}{3} \div \dfrac{2}{5} = \dfrac{5}{15} \div \dfrac{6}{15} = 5 \div 6 = \dfrac{5}{6}$

1-2 $\dfrac{2}{9} \div \dfrac{5}{8} = \dfrac{16}{72} \div \dfrac{45}{72} = 16 \div 45 = \dfrac{16}{45}$

2-1 $\dfrac{8}{9} \div \dfrac{3}{4} = \dfrac{8}{9} \times \dfrac{4}{3} = \dfrac{32}{27} = 1\dfrac{5}{27}$

2-2 $\dfrac{7}{10} \div \dfrac{3}{7} = \dfrac{7}{10} \times \dfrac{7}{3} = \dfrac{49}{30} = 1\dfrac{19}{30}$

3-1 $1\dfrac{11}{24}$ **3-2** $2\dfrac{2}{5}$

4-1 $4\dfrac{2}{5}$ **4-2** $3\dfrac{21}{26}$

4-3 $3\dfrac{3}{14}$ **4-4** $3\dfrac{8}{9}$

5-1 $\dfrac{2}{5}, \dfrac{4}{5}$ **5-2** $\dfrac{5}{7}, \dfrac{5}{9}$

3-1 $\dfrac{15}{16} \div \dfrac{9}{14} = \dfrac{\overset{5}{15}}{\underset{8}{16}} \times \dfrac{\overset{7}{14}}{\underset{3}{9}} = \dfrac{35}{24} = 1\dfrac{11}{24}$

3-2 $\dfrac{9}{10} \div \dfrac{3}{8} = \dfrac{\overset{3}{9}}{\underset{5}{10}} \times \dfrac{\overset{4}{8}}{\underset{1}{3}} = \dfrac{12}{5} = 2\dfrac{2}{5}$

4-1 $\dfrac{4}{5} \div \dfrac{2}{11} = \dfrac{\overset{2}{4}}{5} \times \dfrac{11}{\underset{1}{2}} = \dfrac{22}{5} = 4\dfrac{2}{5}$(분)

4-2 $\dfrac{11}{13} \div \dfrac{2}{9} = \dfrac{11}{13} \times \dfrac{9}{2} = \dfrac{99}{26} = 3\dfrac{21}{26}$(분)

4-3 $\dfrac{6}{7} \div \dfrac{4}{15} = \dfrac{\overset{3}{6}}{7} \times \dfrac{15}{\underset{2}{4}} = \dfrac{45}{14} = 3\dfrac{3}{14}$(분)

4-4 $\dfrac{5}{6} \div \dfrac{3}{14} = \dfrac{5}{\underset{3}{6}} \times \dfrac{\overset{7}{14}}{3} = \dfrac{35}{9} = 3\dfrac{8}{9}$(분)

5-1 (세로)=(직사각형의 넓이)÷(가로)

$= \dfrac{8}{25} \div \dfrac{2}{5} = \dfrac{\overset{4}{8}}{\underset{5}{25}} \times \dfrac{\overset{1}{5}}{\underset{1}{2}} = \dfrac{4}{5}$(m)

5-2 (가로)=(직사각형의 넓이)÷(세로)

$= \dfrac{25}{63} \div \dfrac{5}{7} = \dfrac{\overset{5}{25}}{\underset{9}{63}} \times \dfrac{\overset{1}{7}}{\underset{1}{5}} = \dfrac{5}{9}$(m)

정답

풀이

27쪽 — 똑똑한 계산 연습

① 7, 21　　　　② 5, 10

③ 2, 9, 63　　　④ 5, 8, 24

⑤ 20　　　　　⑥ 21

⑦ 40　　　　　⑧ 30

⑨ 45　　　　　⑩ 66

⑪ 56　　　　　⑫ 78

⑤ $16 \div \dfrac{4}{5} = (16 \div 4) \times 5 = 20$

⑥ $18 \div \dfrac{6}{7} = (18 \div 6) \times 7 = 21$

⑦ $25 \div \dfrac{5}{8} = (25 \div 5) \times 8 = 40$

⑧ $27 \div \dfrac{9}{10} = (27 \div 9) \times 10 = 30$

⑨ $35 \div \dfrac{7}{9} = (35 \div 7) \times 9 = 45$

⑩ $48 \div \dfrac{8}{11} = (48 \div 8) \times 11 = 66$

⑪ $24 \div \dfrac{3}{7} = (24 \div 3) \times 7 = 56$

⑫ $54 \div \dfrac{9}{13} = (54 \div 9) \times 13 = 78$

29쪽 — 똑똑한 계산 연습

① 4, 20, 6, 2　　　② 7, 42, 8, 2

③ $15\dfrac{3}{4}$　　　　④ $5\dfrac{1}{3}$

⑤ $49\dfrac{1}{2}$　　　　⑥ $3\dfrac{3}{4}$

⑦ $7\dfrac{1}{5}$　　　　⑧ $7\dfrac{5}{7}$

⑨ $8\dfrac{8}{9}$　　　　⑩ $13\dfrac{1}{3}$

③ $9 \div \dfrac{4}{7} = 9 \times \dfrac{7}{4} = \dfrac{63}{4} = 15\dfrac{3}{4}$

④ $2 \div \dfrac{3}{8} = 2 \times \dfrac{8}{3} = \dfrac{16}{3} = 5\dfrac{1}{3}$

⑤ $11 \div \dfrac{2}{9} = 11 \times \dfrac{9}{2} = \dfrac{99}{2} = 49\dfrac{1}{2}$

⑥ $3 \div \dfrac{4}{5} = 3 \times \dfrac{5}{4} = \dfrac{15}{4} = 3\dfrac{3}{4}$

⑦ $4 \div \dfrac{5}{9} = 4 \times \dfrac{9}{5} = \dfrac{36}{5} = 7\dfrac{1}{5}$

⑧ $6 \div \dfrac{7}{9} = 6 \times \dfrac{9}{7} = \dfrac{54}{7} = 7\dfrac{5}{7}$

⑨ $8 \div \dfrac{9}{10} = 8 \times \dfrac{10}{9} = \dfrac{80}{9} = 8\dfrac{8}{9}$

⑩ $10 \div \dfrac{3}{4} = 10 \times \dfrac{4}{3} = \dfrac{40}{3} = 13\dfrac{1}{3}$

30~31쪽 — 기초 집중 연습

1-1 $45 \div \dfrac{5}{7} = (45 \div 5) \times 7 = 63$

1-2 $15 \div \dfrac{3}{8} = (15 \div 3) \times 8 = 40$

1-3 $21 \div \dfrac{3}{4} = (21 \div 3) \times 4 = 28$

2-1 $8\dfrac{5}{9}$　　　　**2-2** $8\dfrac{4}{7}$

2-3 $15\dfrac{2}{5}$　　　**2-4** $4\dfrac{8}{11}$

3-1 21　　　　　**3-2** 18

3-3 24　　　　　**3-4** 14

4-1 $\dfrac{2}{5}$, 20　　　**4-2** $\dfrac{3}{4}$, 12

2-1 $7 \div \dfrac{9}{11} = 7 \times \dfrac{11}{9} = \dfrac{77}{9} = 8\dfrac{5}{9}$

2-2 $5 \div \dfrac{7}{12} = 5 \times \dfrac{12}{7} = \dfrac{60}{7} = 8\dfrac{4}{7}$

2-3 $11 \div \dfrac{5}{7} = 11 \times \dfrac{7}{5} = \dfrac{77}{5} = 15\dfrac{2}{5}$

2-4 $4 \div \dfrac{11}{13} = 4 \times \dfrac{13}{11} = \dfrac{52}{11} = 4\dfrac{8}{11}$

3-1 $6 \div \dfrac{2}{7} = \overset{3}{\cancel{6}} \times \dfrac{7}{\underset{1}{\cancel{2}}} = 21$(개)

3-2 $8 \div \dfrac{4}{9} = \overset{2}{\cancel{8}} \times \dfrac{9}{\underset{1}{\cancel{4}}} = 18$(개)

3-3 $9 \div \dfrac{3}{8} = \overset{3}{\cancel{9}} \times \dfrac{8}{\underset{1}{\cancel{3}}} = 24$(개)

3-4 $10 \div \dfrac{5}{7} = \overset{2}{\cancel{10}} \times \dfrac{7}{\underset{1}{\cancel{5}}} = 14$(개)

4-1 (쇠막대 1 m의 무게)=(전체 무게)$\div \dfrac{2}{5}$

$$= 8 \div \dfrac{2}{5} = \overset{4}{\cancel{8}} \times \dfrac{5}{\underset{1}{\cancel{2}}} = 20 \ (\text{kg})$$

4-2 (쇠막대 1 m의 무게)=(전체 무게)$\div \dfrac{3}{4}$

$$= 9 \div \dfrac{3}{4} = \overset{3}{\cancel{9}} \times \dfrac{4}{\underset{1}{\cancel{3}}} = 12 \ (\text{kg})$$

33쪽	똑똑한 계산 연습
❶ 5, 20, 2, 6	❷ 7, 42, 3, 9
❸ $3\dfrac{1}{2}$	❹ $4\dfrac{4}{5}$
❺ $6\dfrac{2}{3}$	❻ $8\dfrac{4}{7}$
❼ $5\dfrac{5}{11}$	❽ $8\dfrac{5}{9}$
❾ $16\dfrac{4}{5}$	❿ $3\dfrac{8}{9}$

❸ $4 \div \dfrac{8}{7} = \overset{1}{\cancel{4}} \times \dfrac{7}{\underset{2}{\cancel{8}}} = \dfrac{7}{2} = 3\dfrac{1}{2}$

❹ $8 \div \dfrac{5}{3} = 8 \times \dfrac{3}{5} = \dfrac{24}{5} = 4\dfrac{4}{5}$

❺ $12 \div \dfrac{9}{5} = \overset{4}{\cancel{12}} \times \dfrac{5}{\underset{3}{\cancel{9}}} = \dfrac{20}{3} = 6\dfrac{2}{3}$

❻ $15 \div \dfrac{7}{4} = 15 \times \dfrac{4}{7} = \dfrac{60}{7} = 8\dfrac{4}{7}$

❼ $12 \div \dfrac{11}{5} = 12 \times \dfrac{5}{11} = \dfrac{60}{11} = 5\dfrac{5}{11}$

❽ $11 \div \dfrac{9}{7} = 11 \times \dfrac{7}{9} = \dfrac{77}{9} = 8\dfrac{5}{9}$

❾ $21 \div \dfrac{5}{4} = 21 \times \dfrac{4}{5} = \dfrac{84}{5} = 16\dfrac{4}{5}$

❿ $7 \div \dfrac{9}{5} = 7 \times \dfrac{5}{9} = \dfrac{35}{9} = 3\dfrac{8}{9}$

35쪽	똑똑한 계산 연습
❶ 4, 28, 5, 3	❷ 2, 16, 5, 1
❸ $2\dfrac{6}{7}$	❹ $4\dfrac{2}{7}$
❺ $5\dfrac{1}{4}$	❻ $7\dfrac{1}{5}$
❼ $10\dfrac{1}{2}$	❽ $11\dfrac{2}{3}$
❾ $3\dfrac{3}{11}$	❿ $6\dfrac{2}{9}$

❸ $5 \div 1\dfrac{3}{4} = 5 \div \dfrac{7}{4} = 5 \times \dfrac{4}{7} = \dfrac{20}{7} = 2\dfrac{6}{7}$

❹ $6 \div 1\dfrac{2}{5} = 6 \div \dfrac{7}{5} = 6 \times \dfrac{5}{7} = \dfrac{30}{7} = 4\dfrac{2}{7}$

❺ $7 \div 1\dfrac{1}{3} = 7 \div \dfrac{4}{3} = 7 \times \dfrac{3}{4} = \dfrac{21}{4} = 5\dfrac{1}{4}$

❻ $9 \div 1\dfrac{1}{4} = 9 \div \dfrac{5}{4} = 9 \times \dfrac{4}{5} = \dfrac{36}{5} = 7\dfrac{1}{5}$

❼ $12 \div 1\dfrac{1}{7} = 12 \div \dfrac{8}{7} = \overset{3}{\cancel{12}} \times \dfrac{7}{\underset{2}{\cancel{8}}} = \dfrac{21}{2} = 10\dfrac{1}{2}$

❽ $15 \div 1\dfrac{2}{7} = 15 \div \dfrac{9}{7} = \overset{5}{\cancel{15}} \times \dfrac{7}{\underset{3}{\cancel{9}}} = \dfrac{35}{3} = 11\dfrac{2}{3}$

❾ $4 \div 1\dfrac{2}{9} = 4 \div \dfrac{11}{9} = 4 \times \dfrac{9}{11} = \dfrac{36}{11} = 3\dfrac{3}{11}$

❿ $7 \div 1\dfrac{1}{8} = 7 \div \dfrac{9}{8} = 7 \times \dfrac{8}{9} = \dfrac{56}{9} = 6\dfrac{2}{9}$

36~37쪽 · 기초 집중 연습

1-1 **1-2**

2-1 $3\dfrac{1}{3}$ **2-2** $9\dfrac{4}{5}$ **2-3** $3\dfrac{1}{5}$

2-4 $6\dfrac{3}{4}$ **2-5** $4\dfrac{1}{5}$ **2-6** $1\dfrac{7}{13}$

3-1 $6\dfrac{3}{7}$ **3-2** $7\dfrac{1}{2}$ **3-3** $5\dfrac{7}{37}$

3-4 $7\dfrac{19}{23}$ **4-1** $2\dfrac{2}{5}$ **4-2** $1\dfrac{2}{3},\ 1\dfrac{1}{5}$

1-1 $6\div\dfrac{5}{3}=6\times\dfrac{3}{5}=\dfrac{18}{5}=3\dfrac{3}{5}$

$9\div\dfrac{5}{4}=9\times\dfrac{4}{5}=\dfrac{36}{5}=7\dfrac{1}{5}$

1-2 $4\div1\dfrac{2}{5}=4\div\dfrac{7}{5}=4\times\dfrac{5}{7}=\dfrac{20}{7}=2\dfrac{6}{7}$

$6\div1\dfrac{3}{4}=6\div\dfrac{7}{4}=6\times\dfrac{4}{7}=\dfrac{24}{7}=3\dfrac{3}{7}$

2-1 $15\div\dfrac{9}{2}=\overset{5}{15}\times\dfrac{2}{\underset{3}{9}}=\dfrac{10}{3}=3\dfrac{1}{3}$

2-2 $21\div\dfrac{15}{7}=\overset{7}{21}\times\dfrac{7}{\underset{5}{15}}=\dfrac{49}{5}=9\dfrac{4}{5}$

2-3 $8\div\dfrac{5}{2}=8\times\dfrac{2}{5}=\dfrac{16}{5}=3\dfrac{1}{5}$

2-4 $9\div\dfrac{4}{3}=9\times\dfrac{3}{4}=\dfrac{27}{4}=6\dfrac{3}{4}$

2-5 $7\div1\dfrac{2}{3}=7\div\dfrac{5}{3}=7\times\dfrac{3}{5}=\dfrac{21}{5}=4\dfrac{1}{5}$

2-6 $4\div2\dfrac{3}{5}=4\div\dfrac{13}{5}=4\times\dfrac{5}{13}=\dfrac{20}{13}=1\dfrac{7}{13}$

3-1 $27\div4\dfrac{1}{5}=27\div\dfrac{21}{5}=\overset{9}{27}\times\dfrac{5}{\underset{7}{21}}=\dfrac{45}{7}=6\dfrac{3}{7}$ (kg)

3-2 $25\div3\dfrac{1}{3}=25\div\dfrac{10}{3}=\overset{5}{25}\times\dfrac{3}{\underset{2}{10}}=\dfrac{15}{2}=7\dfrac{1}{2}$ (kg)

3-3 $32\div6\dfrac{1}{6}=32\div\dfrac{37}{6}=32\times\dfrac{6}{37}=\dfrac{192}{37}$

$=5\dfrac{7}{37}$ (kg)

3-4 $45\div5\dfrac{3}{4}=45\div\dfrac{23}{4}=45\times\dfrac{4}{23}=\dfrac{180}{23}$

$=7\dfrac{19}{23}$ (kg)

4-1 (한 시간 동안 걸은 거리)

$=$(전체 거리)$\div$(걸린 시간)

$=3\div1\dfrac{1}{4}=3\div\dfrac{5}{4}$

$=3\times\dfrac{4}{5}=\dfrac{12}{5}=2\dfrac{2}{5}$ (km)

4-2 (한 시간 동안 걸은 거리)

$=$(전체 거리)$\div$(걸린 시간)

$=2\div1\dfrac{2}{3}=2\div\dfrac{5}{3}$

$=2\times\dfrac{3}{5}=\dfrac{6}{5}=1\dfrac{1}{5}$ (km)

38~39쪽 · 누구나 100점 맞는 TEST

1 5 **2** 2 **3** 15

4 4 **5** $3\dfrac{1}{2}$ **6** $2\dfrac{2}{3}$

7 $\dfrac{9}{10}$ **8** $\dfrac{4}{11}$ **9** 2

10 3 **11** 10 **12** 7

13 45 **14** 28 **15** 99

16 35 **17** $15\dfrac{3}{4}$ **18** $22\dfrac{1}{2}$

19 $7\dfrac{7}{9}$ **20** $4\dfrac{1}{2}$

13 $18\div\dfrac{2}{5}=(18\div2)\times5=45$

14 $24\div\dfrac{6}{7}=(24\div6)\times7=28$

15 $36\div\dfrac{4}{11}=(36\div4)\times11=99$

16 $25\div\dfrac{5}{7}=(25\div5)\times7=35$

17 $9\div\dfrac{4}{7}=9\times\dfrac{7}{4}=\dfrac{63}{4}=15\dfrac{3}{4}$

⑱ $25 \div \dfrac{10}{9} = \overset{5}{\cancel{25}} \times \dfrac{9}{\underset{2}{\cancel{10}}} = \dfrac{45}{2} = 22\dfrac{1}{2}$

⑲ $14 \div 1\dfrac{4}{5} = 14 \div \dfrac{9}{5} = 14 \times \dfrac{5}{9} = \dfrac{70}{9} = 7\dfrac{7}{9}$

⑳ $15 \div 3\dfrac{1}{3} = 15 \div \dfrac{10}{3} = \overset{3}{\cancel{15}} \times \dfrac{3}{\underset{2}{\cancel{10}}} = \dfrac{9}{2} = 4\dfrac{1}{2}$

| 40~45쪽 **특강** | 창의 · 융합 · 코딩 |

융합**1** $\dfrac{5}{13}$, $2\dfrac{1}{25}$; $2\dfrac{1}{25}$

창의**2** (1) $2\dfrac{2}{3}$; $2\dfrac{2}{3}$ (2) $1\dfrac{1}{2}$; $1\dfrac{1}{2}$

융합**3** $9\dfrac{1}{3}$, $14\dfrac{2}{3}$

창의**4** (왼쪽부터) 33, 36, 60

융합**5** (1) 54 ; 54 (2) 2

코딩**6** $\dfrac{2}{3}$

창의**7** 동화책

융합**1** (밀로의 비너스 키)

$=$ (상반신의 길이) $\div \dfrac{5}{13}$

$= \dfrac{51}{65} \div \dfrac{5}{13} = \dfrac{51}{\underset{5}{\cancel{65}}} \times \overset{1}{\cancel{13}} \times \dfrac{1}{5} = \dfrac{51}{25} = 2\dfrac{1}{25}$ (m)

창의**2** (1) $4 \div 1\dfrac{1}{2} = 4 \div \dfrac{3}{2} = 4 \times \dfrac{2}{3} = \dfrac{8}{3} = 2\dfrac{2}{3}$ (배)

(2) $\dfrac{3}{4} \div \dfrac{1}{2} = \dfrac{3}{4} \div \dfrac{2}{4} = 3 \div 2 = \dfrac{3}{2} = 1\dfrac{1}{2}$ (배)

융합**3** $24 \div 2\dfrac{4}{7} = 24 \div \dfrac{18}{7} = \overset{4}{\cancel{24}} \times \dfrac{7}{\underset{3}{\cancel{18}}}$

$= \dfrac{28}{3} = 9\dfrac{1}{3}$ (km)

$20 \div 1\dfrac{4}{11} = 20 \div \dfrac{15}{11} = \overset{4}{\cancel{20}} \times \dfrac{11}{\underset{3}{\cancel{15}}}$

$= \dfrac{44}{3} = 14\dfrac{2}{3}$ (km)

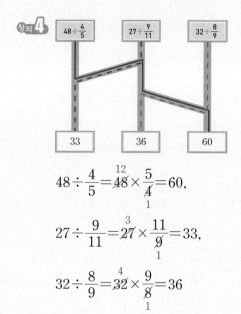

$48 \div \dfrac{4}{5} = \overset{12}{\cancel{48}} \times \dfrac{5}{\underset{1}{\cancel{4}}} = 60$,

$27 \div \dfrac{9}{11} = \overset{3}{\cancel{27}} \times \dfrac{11}{\underset{1}{\cancel{9}}} = 33$,

$32 \div \dfrac{8}{9} = \overset{4}{\cancel{32}} \times \dfrac{9}{\underset{1}{\cancel{8}}} = 36$

융합**5** (1) $(160 - 100) \div 1\dfrac{1}{9} = 60 \div 1\dfrac{1}{9} = 60 \div \dfrac{10}{9}$

$= \overset{6}{\cancel{60}} \times \dfrac{9}{\underset{1}{\cancel{10}}} = 54$ (kg)

(2) $56 - 54 = 2$ (kg)

코딩**6** 가 $= \dfrac{12}{17}$, 나 $= \dfrac{8}{17}$ 이고, 가 $>$ 나이므로

다 $=$ 나 $\div$ 가 $= \dfrac{8}{17} \div \dfrac{12}{17} = 8 \div 12 = \dfrac{8}{12} = \dfrac{2}{3}$

창의**7**

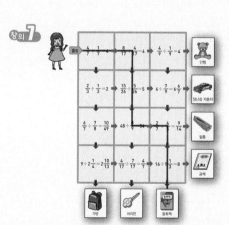

$\dfrac{4}{7} \div \dfrac{1}{7} = 4 \div 1 = 4$, $\dfrac{8}{17} \div \dfrac{4}{17} = 8 \div 4 = 2$,

$\dfrac{15}{26} \div \dfrac{5}{26} = 15 \div 5 = 3$, $48 \div \dfrac{8}{9} = \overset{6}{\cancel{48}} \times \dfrac{9}{\underset{1}{\cancel{8}}} = 54$,

$\dfrac{2}{7} \div \dfrac{4}{5} = \dfrac{\overset{1}{\cancel{2}}}{7} \times \dfrac{5}{\underset{2}{\cancel{4}}} = \dfrac{5}{14}$,

$16 \div 1\dfrac{1}{3} = 16 \div \dfrac{4}{3} = \overset{4}{\cancel{16}} \times \dfrac{3}{\underset{1}{\cancel{4}}} = 12$

정답 및 풀이

2주 분수의 나눗셈 (2) 소수의 나눗셈 (1)

48~49쪽 2주에 배울 내용을 알아볼까요? ②

1-1 $9, \dfrac{9}{10}$ **1-2** $\dfrac{9}{7}, \dfrac{18}{35}$

1-3 $1\dfrac{3}{7}$ **1-4** $\dfrac{14}{15}$

2-1 56, 56, 14, 1.4 **2-2** 635, 635, 127, 1.27

3-1 2.7 **3-2** 1.96

1-3 $\dfrac{5}{6} \div \dfrac{7}{12} = \dfrac{5}{\underset{1}{6}} \times \overset{2}{\cancel{12}} \!\! / 7 = \dfrac{10}{7} = 1\dfrac{3}{7}$

1-4 $\dfrac{7}{10} \div \dfrac{3}{4} = \dfrac{7}{\underset{5}{10}} \times \dfrac{\overset{2}{\cancel{4}}}{3} = \dfrac{14}{15}$

51쪽 똑똑한 계산 연습

① $\dfrac{12}{7} \div \dfrac{9}{10} = \dfrac{\overset{4}{\cancel{12}}}{7} \times \dfrac{\boxed{10}}{\underset{3}{9}} = \dfrac{\boxed{40}}{21} = \boxed{1}\dfrac{\boxed{19}}{21}$

② $\dfrac{3}{4} \div \dfrac{15}{7} = \dfrac{\overset{\boxed{1}}{\cancel{3}}}{4} \times \dfrac{7}{\underset{\boxed{5}}{15}} = \dfrac{\boxed{7}}{\boxed{20}}$

③ $1\dfrac{23}{25}$ ④ $\dfrac{10}{21}$ ⑤ $3\dfrac{3}{7}$

⑥ $\dfrac{7}{20}$ ⑦ $4\dfrac{1}{5}$ ⑧ $\dfrac{5}{14}$

⑨ $3\dfrac{3}{4}$ ⑩ $\dfrac{5}{72}$

⑧ $\dfrac{20}{21} \div \dfrac{8}{3} = \dfrac{\overset{5}{\cancel{20}}}{\underset{7}{21}} \times \dfrac{\overset{1}{\cancel{3}}}{\underset{2}{8}} = \dfrac{5}{14}$

⑨ $\dfrac{21}{8} \div \dfrac{7}{10} = \dfrac{\overset{3}{\cancel{21}}}{\underset{4}{8}} \times \dfrac{\overset{5}{\cancel{10}}}{\underset{1}{7}} = \dfrac{15}{4} = 3\dfrac{3}{4}$

⑩ $\dfrac{2}{9} \div \dfrac{16}{5} = \dfrac{\overset{1}{\cancel{2}}}{9} \times \dfrac{5}{\underset{8}{16}} = \dfrac{5}{72}$

53쪽 똑똑한 계산 연습

① $2\dfrac{1}{7} \div \dfrac{5}{8} = \dfrac{15}{7} \div \dfrac{5}{8} = \dfrac{\overset{\boxed{3}}{15}}{7} \times \dfrac{\boxed{8}}{\underset{1}{5}} = \dfrac{\boxed{24}}{7}$

$\qquad\qquad = \boxed{3}\dfrac{\boxed{3}}{7}$

② $\dfrac{3}{8} \div 1\dfrac{1}{6} = \dfrac{3}{8} \div \dfrac{\boxed{7}}{6} = \dfrac{3}{\underset{4}{8}} \times \dfrac{\overset{\boxed{3}}{\cancel{6}}}{\boxed{7}} = \dfrac{\boxed{9}}{\boxed{28}}$

③ $2\dfrac{2}{9}$ ④ $\dfrac{8}{55}$ ⑤ $6\dfrac{3}{10}$

⑥ $\dfrac{3}{20}$ ⑦ $4\dfrac{1}{8}$ ⑧ $\dfrac{4}{15}$

⑨ $9\dfrac{1}{3}$ ⑩ $\dfrac{2}{9}$

⑧ $\dfrac{5}{6} \div 3\dfrac{1}{8} = \dfrac{5}{6} \div \dfrac{25}{8} = \dfrac{\overset{1}{\cancel{5}}}{\underset{3}{6}} \times \dfrac{\overset{4}{\cancel{8}}}{\underset{5}{25}} = \dfrac{4}{15}$

⑨ $5\dfrac{1}{4} \div \dfrac{9}{16} = \dfrac{21}{4} \div \dfrac{9}{16} = \dfrac{\overset{7}{\cancel{21}}}{\underset{1}{4}} \times \dfrac{\overset{4}{\cancel{16}}}{\underset{3}{9}} = \dfrac{28}{3} = 9\dfrac{1}{3}$

⑩ $\dfrac{7}{15} \div 2\dfrac{1}{10} = \dfrac{7}{15} \div \dfrac{21}{10} = \dfrac{\overset{1}{\cancel{7}}}{\underset{3}{15}} \times \dfrac{\overset{2}{\cancel{10}}}{\underset{3}{21}} = \dfrac{2}{9}$

54~55쪽 기초 집중 연습

1-1 $2\dfrac{5}{6}$ **1-2** $3\dfrac{11}{15}$

1-3 $3\dfrac{3}{10}$ **1-4** $5\dfrac{1}{3}$

2-1 $\dfrac{8}{33}$ **2-2** $\dfrac{2}{19}$

2-3 $\dfrac{4}{9}$ **2-4** $\dfrac{2}{9}$

3-1 $18\dfrac{3}{4}$ **3-2** $5\dfrac{1}{9}$

3-3 $\dfrac{2}{23}$ **3-4** $\dfrac{3}{25}$

4-1 $4\dfrac{3}{8}$ **4-2** $\dfrac{5}{6}, 1\dfrac{7}{8}, \dfrac{4}{9}$

2-1 $\dfrac{7}{11} < \dfrac{21}{8}$ 이므로

$\dfrac{7}{11} \div \dfrac{21}{8} = \dfrac{\overset{1}{7}}{11} \times \dfrac{8}{\underset{3}{21}} = \dfrac{8}{33}$ 입니다.

2-2 $\dfrac{19}{12} > \dfrac{1}{6}$ 이므로

$\dfrac{1}{6} \div \dfrac{19}{12} = \dfrac{1}{\underset{1}{6}} \times \dfrac{\overset{2}{12}}{19} = \dfrac{2}{19}$ 입니다.

2-3 $1\dfrac{1}{4} > \dfrac{5}{9}$ 이므로

$\dfrac{5}{9} \div 1\dfrac{1}{4} = \dfrac{5}{9} \div \dfrac{5}{4} = \dfrac{\overset{1}{5}}{9} \times \dfrac{4}{\underset{1}{5}} = \dfrac{4}{9}$ 입니다.

2-4 $\dfrac{3}{5} < 2\dfrac{7}{10}$ 이므로

$\dfrac{3}{5} \div 2\dfrac{7}{10} = \dfrac{3}{5} \div \dfrac{27}{10} = \dfrac{\overset{1}{3}}{\underset{1}{5}} \times \dfrac{\overset{2}{10}}{\underset{9}{27}} = \dfrac{2}{9}$ 입니다.

3-1 (고양이의 무게)÷(햄스터의 무게)

$= \dfrac{15}{4} \div \dfrac{1}{5} = \dfrac{15}{4} \times 5 = \dfrac{75}{4} = 18\dfrac{3}{4}$ (배)

3-2 (토끼의 무게)÷(고슴도치의 무게)

$= 2\dfrac{3}{10} \div \dfrac{9}{20} = \dfrac{23}{10} \div \dfrac{9}{20}$

$= \dfrac{23}{\underset{1}{10}} \times \dfrac{\overset{2}{20}}{9} = \dfrac{46}{9} = 5\dfrac{1}{9}$ (배)

3-3 (햄스터의 무게)÷(토끼의 무게)

$= \dfrac{1}{5} \div 2\dfrac{3}{10} = \dfrac{1}{5} \div \dfrac{23}{10} = \dfrac{1}{\underset{1}{5}} \times \dfrac{\overset{2}{10}}{23} = \dfrac{2}{23}$ (배)

3-4 (고슴도치의 무게)÷(고양이의 무게)

$= \dfrac{9}{20} \div \dfrac{15}{4} = \dfrac{\overset{3}{9}}{\underset{5}{20}} \times \dfrac{\overset{1}{4}}{\underset{5}{15}} = \dfrac{3}{25}$ (배)

4-2 (밑변의 길이)

= (평행사변형의 넓이)÷(높이)

$= \dfrac{5}{6} \div 1\dfrac{7}{8} = \dfrac{5}{6} \div \dfrac{15}{8} = \dfrac{\overset{1}{5}}{\underset{3}{6}} \times \dfrac{\overset{4}{8}}{\underset{3}{15}} = \dfrac{4}{9}$ (m)

57쪽 **똑똑한 계산 연습**

❶ $1\dfrac{4}{5} \div \dfrac{3}{2} = \dfrac{9}{5} \div \dfrac{3}{2} = \dfrac{\overset{3}{9}}{5} \times \dfrac{\boxed{2}}{\underset{1}{3}} = \dfrac{\boxed{6}}{5} = \boxed{1}\dfrac{\boxed{1}}{5}$

❷ $\dfrac{9}{4} \div 1\dfrac{3}{8} = \dfrac{9}{4} \div \dfrac{\boxed{11}}{8} = \dfrac{9}{\underset{1}{4}} \times \dfrac{\overset{\boxed{2}}{8}}{\boxed{11}} = \dfrac{18}{\boxed{11}}$

$\quad = \boxed{1}\dfrac{\boxed{7}}{\boxed{11}}$

❸ $1\dfrac{1}{20}$ ❹ $\dfrac{10}{27}$ ❺ $1\dfrac{13}{27}$

❻ $1\dfrac{5}{16}$ ❼ $2\dfrac{2}{5}$ ❽ $\dfrac{9}{14}$

❾ $\dfrac{3}{10}$ ❿ $3\dfrac{3}{5}$

❺ $3\dfrac{5}{9} \div \dfrac{12}{5} = \dfrac{32}{9} \div \dfrac{12}{5} = \dfrac{32}{9} \times \dfrac{5}{\underset{3}{12}} = \dfrac{40}{27} = 1\dfrac{13}{27}$

59쪽 **똑똑한 계산 연습**

❶ $1\dfrac{1}{9} \div 1\dfrac{5}{12} = \dfrac{10}{9} \div \dfrac{\boxed{17}}{12} = \dfrac{10}{\underset{3}{9}} \times \dfrac{\overset{\boxed{4}}{12}}{\boxed{17}} = \dfrac{\boxed{40}}{51}$

❷ $3\dfrac{1}{4} \div 1\dfrac{3}{8} = \dfrac{13}{4} \div \dfrac{11}{8} = \dfrac{\boxed{13}}{\underset{1}{4}} \times \dfrac{\overset{2}{8}}{11}$

$\quad = \dfrac{\boxed{26}}{\boxed{11}} = \boxed{2}\dfrac{\boxed{4}}{\boxed{11}}$

❸ $\dfrac{24}{25}$ ❹ $1\dfrac{1}{32}$ ❺ $2\dfrac{1}{7}$

❻ $\dfrac{5}{16}$ ❼ $1\dfrac{43}{56}$ ❽ $2\dfrac{2}{3}$

❾ $2\dfrac{2}{35}$ ❿ $1\dfrac{3}{5}$

❾ $3\dfrac{1}{5} \div 1\dfrac{5}{9} = \dfrac{16}{5} \div \dfrac{14}{9} = \dfrac{\overset{8}{16}}{5} \times \dfrac{9}{\underset{7}{14}} = \dfrac{72}{35} = 2\dfrac{2}{35}$

❿ $6\dfrac{2}{3} \div 4\dfrac{1}{6} = \dfrac{20}{3} \div \dfrac{25}{6} = \dfrac{\overset{4}{20}}{\underset{1}{3}} \times \dfrac{\overset{2}{6}}{\underset{5}{25}} = \dfrac{8}{5} = 1\dfrac{3}{5}$

정답 및 풀이

1-1 $\dfrac{9}{26}$ **1**-2 $2\dfrac{1}{2}$

1-3 $\dfrac{7}{12}$ **1**-4 $3\dfrac{3}{4}$

2-1 (선 잇기)   **2**-2 (선 잇기)

3-1 $1\dfrac{1}{5}$ **3**-2 $1\dfrac{5}{9}$

3-3 $\dfrac{3}{4}$ **3**-4 $1\dfrac{7}{20}$

4-1 $1\dfrac{4}{5}$ **4**-2 $1\dfrac{1}{14}$, $3\dfrac{1}{3}$

2-1 · $2\dfrac{8}{9} \div \dfrac{13}{5} = \dfrac{26}{9} \div \dfrac{13}{5} = \dfrac{\overset{2}{26}}{9} \times \dfrac{5}{\underset{1}{13}} = \dfrac{10}{9} = 1\dfrac{1}{9}$

· $\dfrac{7}{6} \div 1\dfrac{3}{11} = \dfrac{7}{6} \div \dfrac{14}{11} = \dfrac{\overset{1}{7}}{6} \times \dfrac{11}{\underset{2}{14}} = \dfrac{11}{12}$

2-2 · $1\dfrac{1}{15} \div 3\dfrac{1}{3} = \dfrac{16}{15} \div \dfrac{10}{3} = \dfrac{16}{\underset{5}{15}} \times \dfrac{\overset{1}{3}}{\underset{5}{10}} = \dfrac{8}{25}$

· $2\dfrac{1}{12} \div 2\dfrac{1}{4} = \dfrac{25}{12} \div \dfrac{9}{4} = \dfrac{25}{\underset{3}{12}} \times \dfrac{\overset{1}{4}}{9} = \dfrac{25}{27}$

3-1 (1분 동안 달린 거리)
= (달린 거리) ÷ (달린 시간)
= $\dfrac{7}{5} \div 1\dfrac{1}{6} = \dfrac{7}{5} \div \dfrac{7}{6} = \dfrac{\overset{1}{7}}{5} \times \dfrac{6}{\underset{1}{7}} = \dfrac{6}{5} = 1\dfrac{1}{5}$ (km)

4-1 (나무막대 1 m의 무게)
= (전체 나무막대의 무게) ÷ (나무막대의 길이)
= $2\dfrac{3}{5} \div \dfrac{13}{9} = \dfrac{13}{5} \div \dfrac{13}{9} = \dfrac{\overset{1}{13}}{5} \times \dfrac{9}{\underset{1}{13}}$
= $\dfrac{9}{5} = 1\dfrac{4}{5}$ (kg)

4-2 (쇠막대 1 m의 무게)
= (전체 쇠막대의 무게) ÷ (쇠막대의 길이)
= $3\dfrac{4}{7} \div 1\dfrac{1}{14} = \dfrac{25}{7} \div \dfrac{15}{14} = \dfrac{\overset{5}{25}}{\underset{1}{7}} \times \dfrac{\overset{2}{14}}{\underset{3}{15}}$
= $\dfrac{10}{3} = 3\dfrac{1}{3}$ (kg)

① $1\dfrac{1}{6} \times \dfrac{4}{5} \div \dfrac{7}{8} = \dfrac{\boxed{7}}{6} \times \dfrac{4}{5} \div \dfrac{7}{8} = \dfrac{\boxed{7}}{6} \times \dfrac{4}{5} \times \dfrac{\boxed{8}}{7}$
$= \dfrac{\boxed{16}}{15} = \boxed{1}\dfrac{\boxed{1}}{15}$

② $\dfrac{4}{13} \div 2\dfrac{2}{3} \times 5\dfrac{1}{5} = \dfrac{4}{13} \div \dfrac{\boxed{8}}{3} \times \dfrac{\boxed{26}}{5}$
$= \dfrac{4}{13} \times \dfrac{3}{\boxed{8}} \times \dfrac{\boxed{26}}{5} = \dfrac{\boxed{3}}{5}$

③ $\dfrac{25}{27}$ **④** $3\dfrac{1}{5}$

⑤ $9\dfrac{1}{6}$ **⑥** $\dfrac{27}{40}$

⑦ $\dfrac{4}{35}$ **⑧** $\dfrac{20}{21}$

⑨ $6\dfrac{2}{3}$ **⑩** $1\dfrac{1}{15}$

⑥ $1\dfrac{1}{20} \div 4\dfrac{2}{3} \times 3 = \dfrac{21}{20} \div \dfrac{14}{3} \times 3$
$= \dfrac{21}{20} \times \dfrac{3}{\underset{2}{14}} \times 3 = \dfrac{27}{40}$

⑦ $\dfrac{11}{15} \times \dfrac{3}{7} \div 2\dfrac{3}{4} = \dfrac{11}{15} \times \dfrac{3}{7} \div \dfrac{11}{4}$
$= \dfrac{\overset{1}{11}}{\underset{5}{15}} \times \dfrac{\overset{1}{3}}{7} \times \dfrac{4}{\underset{1}{11}} = \dfrac{4}{35}$

⑧ $1\dfrac{8}{9} \div \dfrac{7}{10} \times \dfrac{6}{17} = \dfrac{17}{9} \div \dfrac{7}{10} \times \dfrac{6}{17}$
$= \dfrac{\overset{1}{17}}{\underset{3}{9}} \times \dfrac{10}{7} \times \dfrac{\overset{2}{6}}{\underset{1}{17}} = \dfrac{20}{21}$

⑨ $3\dfrac{5}{9} \times 5 \div 2\dfrac{2}{3} = \dfrac{32}{9} \times 5 \div \dfrac{8}{3} = \dfrac{\overset{4}{32}}{\underset{3}{9}} \times 5 \times \dfrac{\overset{1}{3}}{\underset{1}{8}}$
$= \dfrac{20}{3} = 6\dfrac{2}{3}$

⑩ $2\dfrac{1}{2} \div 3\dfrac{1}{8} \times 1\dfrac{1}{3} = \dfrac{5}{2} \div \dfrac{25}{8} \times \dfrac{4}{3} = \dfrac{\overset{1}{5}}{\underset{1}{2}} \times \dfrac{\overset{4}{8}}{\underset{5}{25}} \times \dfrac{4}{3}$
$= \dfrac{16}{15} = 1\dfrac{1}{15}$

① $\dfrac{3}{4} \div \dfrac{2}{3} \div \dfrac{5}{6} = \dfrac{3}{4} \times \boxed{\dfrac{3}{2}} \times \boxed{\dfrac{6}{5}} = \boxed{\dfrac{27}{20}} = \boxed{1}\dfrac{\boxed{7}}{20}$

② $3\dfrac{1}{3} \div \dfrac{5}{8} \div \dfrac{7}{9} = \dfrac{\boxed{10}}{3} \div \dfrac{5}{8} \div \dfrac{7}{9}$

$= \dfrac{\boxed{10}}{3} \times \dfrac{8}{5} \times \dfrac{\boxed{9}}{\boxed{7}} = \dfrac{\boxed{48}}{7} = \boxed{6}\dfrac{\boxed{6}}{7}$

③ $2\dfrac{16}{27}$　　**④** $1\dfrac{17}{33}$　　**⑤** $8\dfrac{3}{4}$

⑥ $1\dfrac{1}{12}$　　**⑦** $\dfrac{7}{54}$　　**⑧** 24

⑨ $\dfrac{3}{13}$　　**⑩** $1\dfrac{3}{7}$

⑤ $6 \div \dfrac{3}{7} \div 1\dfrac{3}{5} = 6 \div \dfrac{3}{7} \div \dfrac{8}{5} = \overset{2}{6} \times \dfrac{7}{\underset{1}{3}} \times \dfrac{5}{\underset{4}{8}}$

$= \dfrac{35}{4} = 8\dfrac{3}{4}$

⑥ $2\dfrac{8}{9} \div 4 \div \dfrac{2}{3} = \dfrac{26}{9} \div 4 \div \dfrac{2}{3} = \dfrac{\overset{13}{26}}{\underset{3}{9}} \times \dfrac{1}{4} \times \dfrac{\overset{1}{3}}{\underset{1}{2}}$

$= \dfrac{13}{12} = 1\dfrac{1}{12}$

⑦ $2\dfrac{1}{10} \div 1\dfrac{4}{5} \div 9 = \dfrac{21}{10} \div \dfrac{9}{5} \div 9 = \dfrac{\overset{7}{21}}{\underset{2}{10}} \times \dfrac{\overset{1}{5}}{\underset{3}{9}} \times \dfrac{1}{9} = \dfrac{7}{54}$

⑧ $5\dfrac{1}{5} \div \dfrac{1}{4} \div \dfrac{13}{15} = \dfrac{26}{5} \div \dfrac{1}{4} \div \dfrac{13}{15} = \dfrac{\overset{2}{26}}{\underset{1}{5}} \times 4 \times \dfrac{\overset{3}{15}}{\underset{1}{13}}$

$= 24$

⑨ $2\dfrac{4}{5} \div 9\dfrac{1}{3} \div 1\dfrac{3}{10} = \dfrac{14}{5} \div \dfrac{28}{3} \div \dfrac{13}{10}$

$= \dfrac{\overset{1}{14}}{\underset{1}{5}} \times \dfrac{3}{\underset{2}{28}} \times \dfrac{\overset{1}{10}}{13} = \dfrac{3}{13}$

⑩ $3\dfrac{1}{6} \div \dfrac{7}{12} \div 3\dfrac{4}{5} = \dfrac{19}{6} \div \dfrac{7}{12} \div \dfrac{19}{5}$

$= \dfrac{\overset{1}{19}}{\underset{1}{6}} \times \dfrac{\overset{2}{12}}{7} \times \dfrac{5}{\underset{1}{19}} = \dfrac{10}{7} = 1\dfrac{3}{7}$

1-1 $\dfrac{9}{10} \div \dfrac{3}{7} \times 1\dfrac{5}{6} = \dfrac{\overset{3}{9}}{10} \times \dfrac{7}{\underset{1}{3}} \times 1\dfrac{5}{6} = \dfrac{21}{10} \times \dfrac{11}{\underset{2}{6}}$

$= \dfrac{77}{20} = 3\dfrac{17}{20}$

1-2 $\dfrac{3}{4} \div \dfrac{6}{7} \times 3\dfrac{1}{5} = \dfrac{\overset{1}{3}}{4} \times \dfrac{7}{\underset{2}{6}} \times 3\dfrac{1}{5} = \dfrac{7}{\underset{1}{8}} \times \dfrac{\overset{2}{16}}{5}$

$= \dfrac{14}{5} = 2\dfrac{4}{5}$

2-1 $1\dfrac{3}{25}$　　**2-2** $2\dfrac{5}{36}$　　**2-3** $\dfrac{3}{40}$

2-4 $\dfrac{7}{12}$　　**2-5** $\dfrac{55}{63}$　　**2-6** $5\dfrac{5}{7}$

3-1 $1\dfrac{7}{20}$　　**3-2** $2\dfrac{3}{4}$　　**3-3** $1\dfrac{1}{10}$

3-4 $2\dfrac{7}{9}$　　**4-1** $1\dfrac{5}{9}$　　**4-2** $\dfrac{8}{9},\ 2\dfrac{4}{25}$

3-1 (한 사람이 1시간에 캔 감자의 무게)

= (전체 감자의 무게) ÷ (사람 수) ÷ (감자를 캔 시간)

$= 6\dfrac{3}{10} \div 4 \div 1\dfrac{1}{6} = \dfrac{63}{10} \div 4 \div \dfrac{7}{6}$

$= \dfrac{\overset{9}{63}}{\underset{5}{10}} \times \dfrac{1}{4} \times \dfrac{\overset{3}{6}}{\underset{1}{7}} = \dfrac{27}{20} = 1\dfrac{7}{20}$ (kg)

3-3 $9\dfrac{1}{6} \div 5 \div 1\dfrac{2}{3} = \dfrac{55}{6} \div 5 \div \dfrac{5}{3}$

$= \dfrac{\overset{11}{55}}{\underset{2}{6}} \times \dfrac{1}{\underset{1}{5}} \times \dfrac{\overset{1}{3}}{5} = \dfrac{11}{10} = 1\dfrac{1}{10}$ (kg)

3-4 $23\dfrac{1}{3} \div 6 \div 1\dfrac{2}{5} = \dfrac{70}{3} \div 6 \div \dfrac{7}{5}$

$= \dfrac{\overset{\overset{5}{\cancel{35}}}{70}}{3} \times \dfrac{1}{\underset{3}{6}} \times \dfrac{5}{\underset{1}{7}} = \dfrac{25}{9} = 2\dfrac{7}{9}$ (kg)

4-2 (밑변의 길이)

= (삼각형의 넓이) × 2 ÷ (높이)

$= \dfrac{24}{25} \times 2 \div \dfrac{8}{9} = \dfrac{\overset{3}{24}}{25} \times 2 \times \dfrac{9}{\underset{1}{8}} = \dfrac{54}{25} = 2\dfrac{4}{25}$ (m)

정답

풀이

69쪽	똑똑한 계산 연습

① 8, 32, 8, 4 **②** 48, 48, 12, 4
③ 96, 6, 96, 6, 16 **④** 238, 14, 238, 14, 17
⑤ 7 **⑥** 3
⑦ 37 **⑧** 8
⑨ 23 **⑩** 14

① 소수 한 자리 수를 분모가 10인 분수로 바꾸어 계산합니다.

⑥ $5.4 \div 1.8 = \dfrac{54}{10} \div \dfrac{18}{10} = 54 \div 18 = 3$

⑦ $7.4 \div 0.2 = \dfrac{74}{10} \div \dfrac{2}{10} = 74 \div 2 = 37$

⑧ $10.4 \div 1.3 = \dfrac{104}{10} \div \dfrac{13}{10} = 104 \div 13 = 8$

⑨ $16.1 \div 0.7 = \dfrac{161}{10} \div \dfrac{7}{10} = 161 \div 7 = 23$

⑩ $36.4 \div 2.6 = \dfrac{364}{10} \div \dfrac{26}{10} = 364 \div 26 = 14$

71쪽	똑똑한 계산 연습

① $0.8 \overline{)5.6}$ 몫 7, 56, 0

② $1.5 \overline{)4.5}$ 몫 3, 45, 0

③ $2.3 \overline{)9.2}$ 몫 4, 92, 0

④ $0.3 \overline{)5.7}$ 몫 19, 3, 27, 27, 0

⑤ $0.4 \overline{)9.6}$ 몫 24, 8, 16, 16, 0

⑥ $0.6 \overline{)7.8}$ 몫 13, 6, 18, 18, 0

⑦ $0.7 \overline{)11.9}$ 몫 17, 7, 49, 49, 0

⑧ $0.9 \overline{)12.6}$ 몫 14, 9, 36, 36, 0

⑨ $0.5 \overline{)16.5}$ 몫 33, 15, 15, 15, 0

⑩ $1.4 \overline{)16.8}$ 몫 12, 14, 28, 28, 0

⑪ $1.6 \overline{)44.8}$ 몫 28, 32, 128, 128, 0

⑫ $3.8 \overline{)98.8}$ 몫 26, 76, 228, 228, 0

72~73쪽	기초 집중 연습

1-1 8, 8 **1**-2 14, 14
1-3 3, 3 **1**-4 12, 12
2-1 7 **2**-2 6
2-3 15 **2**-4 17
3-1 5 **3**-2 18
3-3 7 **3**-4 12
4-1 6 **4**-2 20.4, 1.2, 17
4-3 4 **4**-4 19.6, 1.4, 14

3-1 (나누어 가진 사람 수)
= (전체 리본 끈의 길이) ÷ (한 명이 가진 리본 끈의 길이)
= $3.5 \div 0.7 = 5$(명)

3-3 $9.1 \div 1.3 = 7$(명)

3-4 $31.2 \div 2.6 = 12$(명)

4-1 (필요한 컵 수)
= (전체 주스의 양) ÷ (한 컵에 담는 주스의 양)
= $1.8 \div 0.3 = 6$(개)

똑똑한 계산 연습

① 42, 252, 42, 6

② 865, 865, 173, 5

③ 672, 56, 672, 56, 12

④ 2085, 139, 2085, 139, 15

⑤ 7　　　⑥ 5　　　⑦ 6

⑧ 7　　　⑨ 14　　　⑩ 17

① 소수 두 자리 수를 분모가 100인 분수로 바꾸어 계산합니다.

⑤ $0.28 \div 0.04 = \dfrac{28}{100} \div \dfrac{4}{100} = 28 \div 4 = 7$

⑥ $6.45 \div 1.29 = \dfrac{645}{100} \div \dfrac{129}{100} = 645 \div 129 = 5$

⑦ $1.98 \div 0.33 = \dfrac{198}{100} \div \dfrac{33}{100} = 198 \div 33 = 6$

⑧ $18.97 \div 2.71 = \dfrac{1897}{100} \div \dfrac{271}{100} = 1897 \div 271 = 7$

⑨ $11.48 \div 0.82 = \dfrac{1148}{100} \div \dfrac{82}{100} = 1148 \div 82 = 14$

⑩ $72.76 \div 4.28 = \dfrac{7276}{100} \div \dfrac{428}{100} = 7276 \div 428 = 17$

똑똑한 계산 연습

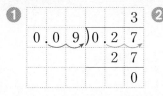

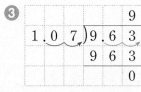

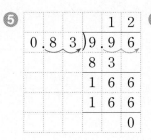 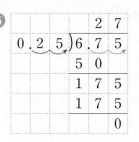

---

⑦
```
              1 9
0 . 5 9 ) 1 1 . 2 1
            5 9
            5 3 1
            5 3 1
                0
```

⑧
```
              1 1
1 . 6 4 ) 1 8 . 0 4
            1 6 4
            1 6 4
            1 6 4
                0
```

⑨
```
              1 3
3 . 1 7 ) 4 1 . 2 1
            3 1 7
            9 5 1
            9 5 1
                0
```

⑩
```
              1 4
6 . 8 2 ) 9 5 . 4 8
            6 8 2
            2 7 2 8
            2 7 2 8
                0
```

기초 집중 연습

1-1 8, 8　　　**1**-2 6, 6

1-3 12, 12　　　**1**-4 15, 15

2-1 27　　　**2**-2 9

2-3 3　　　**2**-4 14

3-1 8　　　**3**-2 24

3-3 12　　　**3**-4 6

4-1 8　　　**4**-2 0.49, 15

4-3 0.38, 4　　　**4**-4 2.16, 0.27, 8

2-1 $2.16 \div 0.08 = 27$

2-2 $3.87 \div 0.43 = 9$

2-3 $4.62 \div 1.54 = 3$

2-4 $36.68 \div 2.62 = 14$

3-1 (상자에 담겨 있는 당근의 수)
　＝(전체 당근의 무게)÷(당근 한 개의 무게)
　＝$1.92 \div 0.24 = 8$(개)

3-3 $3.96 \div 0.33 = 12$(개)

3-4 $7.62 \div 1.27 = 6$(개)

4-1 (걸리는 시간)＝(전체 거리)÷(1분에 가는 거리)
　　　＝$1.12 \div 0.14 = 8$(분)

4-3 (정다각형의 변의 수)＝(둘레)÷(한 변의 길이)
　　　　＝$1.52 \div 0.38 = 4$(개)

정답 및 풀이

누구나 100점 맞는 TEST

❶ $2\dfrac{2}{9}$ ❷ $\dfrac{3}{8}$ ❸ $5\dfrac{3}{5}$

❹ $\dfrac{5}{32}$ ❺ $2\dfrac{2}{13}$ ❻ $1\dfrac{4}{11}$

❼ $3\dfrac{3}{4}$ ❽ $8\dfrac{8}{9}$ ❾ $5\dfrac{1}{4}$

❿ $\dfrac{16}{65}$ ⓫ 7   ⓬ 9

⓭ 24   ⓮ 6   ⓯ 13

⓰ 15   ⓱ 14   ⓲ 8

⓳ 27   ⓴ 12

❿ $4\dfrac{2}{5} \div 2\dfrac{1}{6} \div 8\dfrac{1}{4} = \dfrac{22}{5} \div \dfrac{13}{6} \div \dfrac{33}{4}$

$= \dfrac{22}{5} \times \dfrac{\overset{2}{6}}{13} \times \dfrac{4}{\underset{\underset{1}{3}}{33}} = \dfrac{16}{65}$

⓱
$$0.6\overline{)8.4} \quad \begin{array}{r} 1\,4 \\ \hline 6 \\ \hline 2\,4 \\ 2\,4 \\ \hline 0 \end{array}$$

⓲
$$2.4\overline{)19.2} \quad \begin{array}{r} 8 \\ \hline 1\,9\,2 \\ \hline 0 \end{array}$$

⓳
$$0.3\,2\overline{)8.6\,4} \quad \begin{array}{r} 2\,7 \\ \hline 6\,4 \\ \hline 2\,2\,4 \\ 2\,2\,4 \\ \hline 0 \end{array}$$

⓴
$$3.2\,9\overline{)39.4\,8} \quad \begin{array}{r} 1\,2 \\ \hline 3\,2\,9 \\ \hline 6\,5\,8 \\ 6\,5\,8 \\ \hline 0 \end{array}$$

특강 | **창의 · 융합 · 코딩**

창의❶ 6, 2

창의❷ $\dfrac{1}{4}$, $3\dfrac{1}{5}$, $\dfrac{14}{25}$; 나도둑

창의❸ 34   창의❹ $1\dfrac{11}{45}$

융합❺ 5   융합❻ 7

창의❼ $\dfrac{11}{21}$, $7\dfrac{1}{5}$, $\dfrac{9}{28}$ 창의❽ 56

코딩❾ $\dfrac{2}{3}$

창의❸ $25\dfrac{1}{2} \div \dfrac{3}{4} = \dfrac{51}{2} \div \dfrac{3}{4} = \dfrac{\overset{17}{51}}{\underset{1}{2}} \times \dfrac{\overset{2}{4}}{\underset{1}{3}} = 34$(개)

창의❹ (금도끼의 무게)÷(은도끼의 무게)

$= 5\dfrac{4}{9} \div 4\dfrac{3}{8} = \dfrac{49}{9} \div \dfrac{35}{8} = \dfrac{\overset{7}{49}}{9} \times \dfrac{8}{\underset{5}{35}}$

$= \dfrac{56}{45} = 1\dfrac{11}{45}$(배)

융합❺ $18.75 \div 3.75 = 5$(돈)

융합❻ $72.8 \div 10.4 = 7$(배)

창의❼
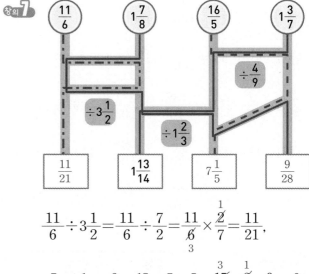

$\dfrac{11}{6} \div 3\dfrac{1}{2} = \dfrac{11}{6} \div \dfrac{7}{2} = \dfrac{11}{\underset{3}{6}} \times \dfrac{\overset{1}{2}}{7} = \dfrac{11}{21}$,

$1\dfrac{7}{8} \div 3\dfrac{1}{2} \div 1\dfrac{2}{3} = \dfrac{15}{8} \div \dfrac{7}{2} \div \dfrac{5}{3} = \dfrac{\overset{3}{15}}{\underset{4}{8}} \times \dfrac{\overset{1}{2}}{7} \times \dfrac{3}{\underset{1}{5}} = \dfrac{9}{28}$,

$\dfrac{16}{5} \div \dfrac{4}{9} = \dfrac{\overset{4}{16}}{5} \times \dfrac{9}{\underset{1}{4}} = \dfrac{36}{5} = 7\dfrac{1}{5}$

창의❽ $9\dfrac{1}{3} \div 1\dfrac{1}{6} \times 7 = \dfrac{28}{3} \div \dfrac{7}{6} \times 7$

$= \dfrac{\overset{4}{28}}{\underset{1}{3}} \times \dfrac{\overset{2}{6}}{\underset{1}{7}} \times 7 = 56$(개)

코딩❾ 가$=3\dfrac{2}{3}$, 나$=\dfrac{22}{9}$에서 $3\dfrac{2}{3} > \dfrac{22}{9}\left(=2\dfrac{4}{9}\right)$이

므로 출력된 수는

나÷가$=\dfrac{22}{9} \div 3\dfrac{2}{3} = \dfrac{22}{9} \div \dfrac{11}{3} = \dfrac{\overset{2}{22}}{\underset{3}{9}} \times \dfrac{\overset{1}{3}}{\underset{1}{11}} = \dfrac{2}{3}$

입니다.

90~91쪽 · 3주에 배울 내용을 알아볼까요? ②

1-1 96, 8, 96, 8, 12

1-2 144, 16, 144, 16, 9

1-3
```
              3
  2 . 1 ) 6 . 3
          6   3
              0
```

1-4
```
              4
  1 . 8 ) 7 . 2
          7   2
              0
```

2-1 972, 108, 972, 108, 9

2-2 48, 12, 48, 12, 4

2-3
```
                  7
  1 . 2 5 ) 8 . 7 5
            8   7   5
                    0
```

2-4
```
                  4
  0 . 3 8 ) 1 . 5 2
            1   5   2
                    0
```

1-1 $9.6 \div 0.8 = \dfrac{96}{10} \div \dfrac{8}{10} = 96 \div 8 = 12$

1-2 $14.4 \div 1.6 = \dfrac{144}{10} \div \dfrac{16}{10} = 144 \div 16 = 9$

2-1 $9.72 \div 1.08 = \dfrac{972}{100} \div \dfrac{108}{100} = 972 \div 108 = 9$

2-2 $0.48 \div 0.12 = \dfrac{48}{100} \div \dfrac{12}{100} = 48 \div 12 = 4$

93쪽 · 똑똑한 계산 연습

❶ 1.9, 1.9

❷ 3.4, 3.4

❸ 4.6, 4.6

❹
```
                    0 . 8
  2 . 4 0 ) 1 . 9 2 0
            1   9   2   0
                        0
```

⑤
```
                  6 . 6
  0 . 4 0 ) 2 . 6 4 0
            2   4   0
            2   4   0
            2   4   0
                    0
```

⑥
```
                      1 . 9
  1 . 6 0 ) 3 . 0 4 0
            1   6   0
            1   4   4   0
            1   4   4   0
                        0
```

⑦
```
                      2 . 4
  0 . 7 0 ) 1 . 6 8 0
            1   4   0
                2   8   0
                2   8   0
                        0
```

95쪽 · 똑똑한 계산 연습

❶ 2.3, 2.3

❷ 1.7, 1.7

❸ 6.8, 6.8

❹
```
                  0 . 7
  2 . 4 ) 1 . 6 8
          1   6   8
                  0
```

⑤
```
                  1 . 2
  3 . 8 ) 4 . 5 6
          3   8
              7   6
              7   6
                  0
```

⑥
```
                  2 . 1
  4 . 2 ) 8 . 8 2
          8   4
              4   2
              4   2
                  0
```

⑦
```
                  2 . 3
  3 . 2 ) 7 . 3 6
          6   4
              9   6
              9   6
                  0
```

96~97쪽	기초 집중 연습

1-1 5.2   **1**-2 2.9

1-3 2.9   **1**-4 1.8

2-1 0.7   **2**-2 0.7

2-3 2.2   **2**-4 1.2

2-5 6.7   **2**-6 3.7

3-1 0.9   **3**-2 0.8

4-1 3.3, 1.5   **4**-2 8.3, 1.3

4-3 8.48, 5.3, 1.6   **4**-4 7.98, 1.9, 4.2

1-1 $3.64 \div 0.7 = 5.2 \Rightarrow 364 \div 70 = 5.2$ (100배)

1-2 $12.47 \div 4.3 = 2.9 \Rightarrow 1247 \div 430 = 2.9$ (100배)

1-3 $3.77 \div 1.3 = 2.9 \Rightarrow 37.7 \div 13 = 2.9$ (10배)

1-4 $11.52 \div 6.4 = 1.8 \Rightarrow 115.2 \div 64 = 1.8$ (10배)

2-1 $4.76 \div 6.8 = 0.7$

2-2 $1.68 \div 2.4 = 0.7$

2-3 $9.24 \div 4.2 = 2.2$

2-4 $4.56 \div 3.8 = 1.2$

2-5 $15.41 \div 2.3 = 6.7$

2-6 $19.98 \div 5.4 = 3.7$

3-1 (집에서 공원까지의 거리)÷(집에서 병원까지의 거리)
$= 1.17 \div 1.3 = 0.9$(배)

3-2 (집에서 공원까지의 거리)÷(집에서 병원까지의 거리)
$= 2.72 \div 3.4 = 0.8$(배)

4-1 (세로)=(직사각형의 넓이)÷(가로)
$= 4.95 \div 3.3 = 1.5$ (cm)

4-4 (밑변의 길이)=(평행사변형의 넓이)÷(높이)
$= 7.98 \div 1.9 = 4.2$ (cm)

99쪽	똑똑한 계산 연습

❶ 4, 4, 95   ❷ 48, 240, 48, 5

❸ 210, 35, 210, 35, 6   ❹ 420, 84, 420, 84, 5

❺ 50   ❻ 2

❼ 15   ❽ 15

❾ 56   ❿ 25

❺ $35 \div 0.7 = \dfrac{350}{10} \div \dfrac{7}{10} = 350 \div 7 = 50$

❻ $17 \div 8.5 = \dfrac{170}{10} \div \dfrac{85}{10} = 170 \div 85 = 2$

❼ $51 \div 3.4 = \dfrac{510}{10} \div \dfrac{34}{10} = 510 \div 34 = 15$

❽ $87 \div 5.8 = \dfrac{870}{10} \div \dfrac{58}{10} = 870 \div 58 = 15$

❾ $364 \div 6.5 = \dfrac{3640}{10} \div \dfrac{65}{10} = 3640 \div 65 = 56$

❿ $135 \div 5.4 = \dfrac{1350}{10} \div \dfrac{54}{10} = 1350 \div 54 = 25$

101쪽	똑똑한 계산 연습

❶
```
        4
3.5)1 4.0
    1 4 0
        0
```

❷
```
        5
7.8)3 9.0
    3 9 0
        0
```

❸
```
        5
2.8)1 4.0
    1 4 0
        0
```

❹
```
        3 8
1.5)5 7.0
    4 5
    1 2 0
    1 2 0
        0
```

❺
```
        1 5
3.2)4 8.0
    3 2
    1 6 0
    1 6 0
        0
```

❻
```
        3 4
0.5)1 7.0
    1 5
      2 0
      2 0
        0
```

⑦

```
          1 5
5.8)8 7.0
    5 8
    2 9 0
    2 9 0
          0
```

⑧

```
          2 0
2.3)4 6.0
    4 6
          0
```

⑨

```
          5 4
1.5)8 1.0
    7 5
    6 0
    6 0
      0
```

⑩

```
          3 2
4.5)1 4 4.0
    1 3 5
      9 0
      9 0
        0
```

⑪

```
          4 2
2.5)1 0 5.0
    1 0 0
      5 0
      5 0
        0
```

⑫

```
          4 0
3.8)1 5 2.0
    1 5 2
        0
```

2-1 14	**2-2** 5
2-3 32	**2-4** 20
3-1 15	**3-2** 5
3-3 30	**3-4** 6
4-1 1.6, 25	**4-2** 1.2, 15
4-3 31, 6.2, 5	**4-4** 35, 1.4, 25

1-1 소수의 나눗셈을 분수의 나눗셈으로 계산하고 나누는 수가 소수 한 자리 수이면 분모가 10인 분수의 나눗셈으로 바꾸어 계산합니다.

2-1 $21 \div 1.5 = 14$

2-4 $78 \div 3.9 = 20$

3-1 $63 \div 4.2 = 15$(자루)

3-4 $33 \div 5.5 = 6$(자루)

4-1 (전체 딸기 무게)÷(한 상자에 담는 딸기 무게)
＝(필요한 상자 수)

4-2 (전체 키위 무게)÷(한 상자에 담는 키위 무게)
＝(필요한 상자 수)

4-3 $31 \div 6.2 = 5$(상자)

4-4 $35 \div 1.4 = 25$(상자)

105쪽	**똑똑한 계산 연습**

❶ 225, 225, 4 　　**❷** 12, 600, 12, 50

❸ 4600, 184, 4600, 184, 25

❹ 1700, 425, 1700, 425, 4

❺ 12 　　　　　**❻** 4

❼ 25 　　　　　**❽** 8

❾ 28 　　　　　**❿** 12

❺ $3 \div 0.25 = \dfrac{300}{100} \div \dfrac{25}{100} = 300 \div 25 = 12$

❻ $5 \div 1.25 = \dfrac{500}{100} \div \dfrac{125}{100} = 500 \div 125 = 4$

❿ $27 \div 2.25 = \dfrac{2700}{100} \div \dfrac{225}{100} = 2700 \div 225 = 12$

102~103쪽	**기초 집중 연습**

1-1 $77 \div 2.2 = \dfrac{770}{10} \div \dfrac{22}{10} = 770 \div 22 = 35$

1-2 $17 \div 3.4 = \dfrac{170}{10} \div \dfrac{34}{10} = 170 \div 34 = 5$

1-3 $98 \div 2.8 = \dfrac{980}{10} \div \dfrac{28}{10} = 980 \div 28 = 35$

똑똑한 계산 연습

①

```
            2 0
0.1 5 )3.0 0
        3 0
            0
```

②

```
            2 5
0.3 6 )9.0 0
        7 2
        1 8 0
        1 8 0
            0
```

③

```
              8
0.7 5 )6.0 0
        6 0 0
            0
```

④

```
            2 5
1.2 8 )3 2.0 0
        2 5 6
          6 4 0
          6 4 0
              0
```

⑤

```
            5 0
1.6 8 )8 4.0 0
        8 4 0
            0
```

⑥

```
            2 4
1.2 5 )3 0.0 0
        2 5 0
          5 0 0
          5 0 0
              0
```

⑦

```
              2 5
0.9 2 )2 3.0 0
        1 8 4
          4 6 0
          4 6 0
              0
```

⑧

```
              4
4.2 5 )1 7.0 0
        1 7 0 0
              0
```

⑨

```
              5 0
0.2 6 )1 3.0 0
        1 3 0
            0
```

⑩

```
            2 8
0.2 5 )7.0 0
        5 0
        2 0 0
        2 0 0
            0
```

⑪

```
            6 0
1.5 5 )9 3.0 0
        9 3 0
            0
```

⑫

```
            7 0 0
0.0 8 )5 6.0 0
        5 6
            0
```

108~109쪽	기초 집중 연습

1-1 25, 25 　　　　　**1**-2 40, 40

1-3 48, 48

2-1 20 　　　　　　**2**-2 8

2-3 25 　　　　　　**2**-4 8

3-1 25 　　　　　　**3**-2 25

3-3 8 　　　　　　　**3**-4 8

4-1 1.25, 4 　　　　**4**-2 0.12, 25

4-3 18, 0.36, 50 　　**4**-4 42, 1.68, 25

4-1 (전체 간장 양)÷(한 병에 담는 간장 양)
　　=(담을 수 있는 병의 수)

4-2 (전체 참기름 양)÷(한 병에 담는 참기름 양)
　　=(담을 수 있는 병의 수)

4-3 18÷0.36=50(통)

4-4 42÷1.68=25(통)

111쪽	똑똑한 계산 연습

❶ 4 　　　　　❷ 3

❸ 5 　　　　　❹ 1.3

❺ 0.8 　　　　❻ 0.9

❼ 1.89 　　　　❽ 0.69

❾ 3.33

❶
```
      3.6  ⇨ 4
3) 1 1.0
      9
      2 0
      1 8
         2
```
❸
```
      5.1  ⇨ 5
9) 4 6.0
      4 5
      1 0
         9
         1
```
❹
```
      1.2 8  ⇨ 1.3
7) 9.0 0
      7
      2 0
      1 4
         6 0
         5 6
            4
```
❼
```
      1.8 8 8  ⇨ 1.89
9) 1 7.0 0 0
      9
      8 0
      7 2
         8 0
         7 2
            8 0
            7 2
               8
```

❾
```
         3.3 3 3  ⇨ 3.33
6) 2 0.0 0 0
      1 8
      2 0
      1 8
         2 0
         1 8
            2 0
            1 8
               2 0
               1 8
                  2
```

113쪽	똑똑한 계산 연습

❶ 2 　　　　　❷ 3

❸ 4 　　　　　❹ 2.5

❺ 9.4 　　　　❻ 6.3

❼ 7.87 　　　　❽ 0.23

❾ 2.79

❶
```
         1.9  ⇨ 2
1.3) 2.5 0
        1 3
        1 2 0
        1 1 7
            3
```
❷
```
         3.2  ⇨ 3
0.7) 2.3 0
        2 1
        2 0
        1 4
           6
```
❸
```
         4.4  ⇨ 4
0.8) 3.5 7
        3 2
        3 7
        3 2
           5
```
❺
```
         9.4 4  ⇨ 9.4
0.9) 8.5 0 0
        8 1
        4 0
        3 6
           4 0
           3 6
              4
```
❼
```
         7.8 6 6  ⇨ 7.87
0.6) 4.7 2 0 0
        4 2
        5 2
        4 8
           4 0
           3 6
              4 0
              3 6
                 4
```

정답 및 풀이

⑨
```
              2.7 8 5  ⇨ 2.79
    1.4) 3.9 0 0 0
          2 8
          1 1 0
            9 8
          1 2 0
          1 1 2
              8 0
              7 0
              1 0
```

1-1 1	**1-2** 1
1-3 3	**1-4** 2
2-1 2.8, 2.78	**2-2** 1.5, 1.53
2-3 6.3, 6.33	**2-4** 4.8, 4.81
3-1 2	**3-2** 2
3-3 3	**3-4** 3
3-5 2	**3-6** 2
4-1 2.4	**4-2** 2.9

1-1 $17 \div 13 = 1.3 \cdots \cdots ⇨ 1$

1-2 $15 \div 11 = 1.3 \cdots ⇨ 1$

1-3 $2.4 \div 0.7 = 3.4 \cdots \cdots ⇨ 3$

3-1 $5 \div 3 = 1.6 \cdots \cdots ⇨$ 2배

3-4 $8.9 \div 3.3 = 2.6 \cdots \cdots ⇨$ 3배

3-5 $5.9 \div 3.7 = 1.5 \cdots \cdots ⇨$ 2배

4-1 (설탕의 양)÷(소금의 양)
     $= 17 \div 7 = 2.42 \cdots \cdots ⇨$ 2.4배

4-2 (밀가루의 양)÷(빵가루의 양)
     $= 8.9 \div 3.1 = 2.87 \cdots \cdots ⇨$ 2.9배

❶ 4, 2.3	❷ 2, 0.8
❸ 3.4 ; 3, 3.4	❹ 2.74 ; 4, 2.74
❺ 2.8 ; 4, 2.8	❻ 3.4 ; 2, 3.4

❶ 3, 0.8	❷ 6, 3.6
❸ 3, 27, 4.2 ; 3, 4.2	❹ 5, 35, 3.4 ; 5, 3.4
❺ 2, 4, 0.7 ; 2, 0.7	❻ 2, 8, 0.26 ; 2, 0.26

1-1 6, 1.4	**1-2** 2, 7.3
1-3 10, 1.7	**1-4** 6, 0.6
2-1 2, 1.2	**2-2** 3, 6.6
2-3 3, 2.2	**2-4** 2, 0.26
3-1 7	**3-2** 2
3-3 9	**3-4** 4
4-1 9, 0.9	**4-2** 9, 1.8
4-3 5, 0.7	**4-4** 7, 6.4

1-1
```
        6 ←몫
  3) 1 9.4
    1 8
      1.4 ←남는 수
```

1-2
```
        2 ←몫
  9) 2 5.3
    1 8
      7.3 ←남는 수
```

2-1
```
        2 ← 나누어 줄 수
  4) 9.2      있는 사람 수
    8
    1.2 ←남는 식초의 양
```

2-2
```
        3 ← 나누어 줄 수
  9) 3 3.6    있는 사람 수
    2 7
    6.6 ←남는 간장의 양
```

2-3
```
        3 ←나누어 줄 수
  3) 1 1.2   있는 사람 수
    9
    2.2 ←남는 철사의 길이
```

2-4
```
        2 ← 나누어 줄 수
  5) 1 0.2 6   있는 사람 수
    1 0
    0.2 6 ←남는 노끈의 길이
```

3-1
```
        7 ← 나누어 줄 수 있는 친구 수
  3) 2 3.7
    2 1
    2.7 ←남는 고춧가루의 양
```

3-3
```
        9 ← 나누어 줄 수 있는 친구 수
  5) 4 6.4
    4 5
    1.4 ←남는 고추장의 양
```

4-2
```
        9 ← 만들 수 있는 팔찌 수
  2) 1 9.8
    1 8
    1.8 ←남는 실의 길이
```

❶ 7.8　　❷ 4.7

❸ 8.7　　❹ 2.5

❺ 6　　❻ 16

❼ 15　　❽ 25

❾ 12　　❿ 75

⓫ 9.8　　⓬ 9.3

⓭ 2.6　　⓮ 3.6

⓯ 1.17　　⓰ 30.33

⓱ 0.76　　⓲ 0.85

⓳ 1.7　　⓴ 0.6

❶
$$0.4\overline{)3.1\,2}$$ 몫 7.8
```
      7.8
0.4)3.1 2
    2 8
      3 2
      3 2
        0
```

❷
```
      4.7
8.6)4 0.4 2
    3 4 4
      6 0 2
      6 0 2
          0
```

❸
```
      8.7
5.3)4 6.1 1
    4 2 4
      3 7 1
      3 7 1
          0
```

❹
```
      2.5
2.5)6.2 5
    5 0
    1 2 5
    1 2 5
        0
```

❺
```
      6
7.5)4 5.0
    4 5 0
        0
```

❻
```
      1 6
5.5)8 8.0
    5 5
    3 3 0
    3 3 0
        0
```

❼
```
      1 5
3.6)5 4.0
    3 6
    1 8 0
    1 8 0
        0
```

❽
```
      2 5
2.2 4)5 6.0 0
      4 4 8
      1 1 2 0
      1 1 2 0
            0
```

❾
```
        1 2
3.2 5)3 9.0 0
      3 2 5
        6 5 0
        6 5 0
            0
```

❿
```
        7 5
1.6 8)1 2 6.0 0
      1 1 7 6
          8 4 0
          8 4 0
              0
```

융합❶ 9, 2.6 ; 9　　창의❷ 5 ; 5

창의❸ 3　　융합❹ 4300

융합❺ 1.5　　창의❻ 2.4

창의❼ 3.2　　융합❽ 1.15

창의❾ 2, 8, 27, 2　　융합❿ 12, 4.4

창의❸

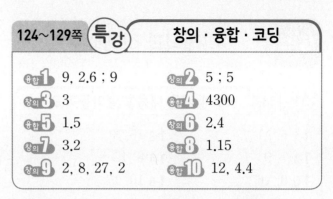

60÷2.4=2.5 → 60÷2.4=25
2.79÷3.1=9 → 2.79÷3.1=0.9
1.05÷1.5=0.?

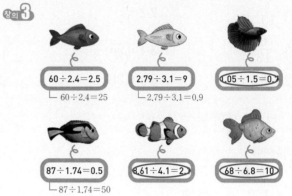

87÷1.74=0.5 → 87÷1.74=50
3.61÷4.1=2.?
68÷6.8=10

융합❹ 7740÷1.8=4300(원)

융합❺ 5.25÷3.5=1.5(배)

창의❻ 8.64÷3.6=2.4(배)

창의❼ 55÷17=3.23…… ⇨ 3.2배

융합❽ 1.95÷1.7=1.147…… ⇨ 1.15배

창의❾

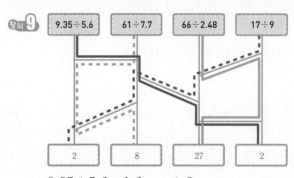

| 9.35÷5.6 | 61÷7.7 | 66÷2.48 | 17÷9 |

| 2 | 8 | 27 | 2 |

9.35÷5.6=1.6…… ⇨ 2

61÷7.7=7.9…… ⇨ 8

66÷2.48=26.6…… ⇨ 27

17÷9=1.8…… ⇨ 2

융합❿　　1 2 ←— 나누어 줄 수 있는 사람 수
```
      1 2
6)7 6.4
  6
  1 6
  1 2
    4.4  ←— 남는 창포물의 양
```

4주 • 비례식과 비례배분

132~133쪽	4주에 배울 내용을 알아볼까요? ②

1-1 6, 11   **1-2** 15, 3

1-3 7, 9   **1-4** 8, 13

1-5 9, 16   **1-6** 10, 17

2-1 $\dfrac{7}{15}$ **2-2** $\dfrac{8}{17}$

2-3 $\dfrac{6}{13}$ **3-1** 0.58

3-2 1.6   **3-3** 0.36

1-3 7의 9에 대한 비 ⇨ 7 : 9

비교하는 양   기준량

 참고

쓰기	읽기
7 : 9	7 대 9 7과 9의 비 7의 9에 대한 비 9에 대한 7의 비

1-4 8의 13에 대한 비 ⇨ 8 : 13

비교하는 양   기준량

1-5 16에 대한 9의 비 ⇨ 9 : 16

기준량   비교하는 양

1-6 17에 대한 10의 비 ⇨ 10 : 17

기준량   비교하는 양

2-1 7 : 15 ⇨ $\dfrac{7}{15}$

2-2 8 : 17 ⇨ $\dfrac{8}{17}$

2-3 6 : 13 ⇨ $\dfrac{6}{13}$

3-1 29 : 50 ⇨ $\dfrac{29}{50} = \dfrac{58}{100} = 0.58$

3-3 8 : 5 ⇨ $\dfrac{8}{5} = \dfrac{16}{10} = 1.6$

3-4 9 : 25 ⇨ $\dfrac{9}{25} = \dfrac{36}{100} = 0.36$

135쪽	똑똑한 계산 연습

❶ 2, 14   ❷ 3, 15

❸ 3, 27   ❹ 2, 14

❺ 32, 4   ❻ 6, 18

❼ 6, 27, 3   ❽ 5, 25, 55

❶ 비의 전항과 후항에 2를 곱합니다.

❷ 비의 전항과 후항에 3을 곱합니다.

❸ 비의 전항과 후항에 3을 곱합니다.

❹ 비의 전항과 후항에 2를 곱합니다.

❺ 비의 전항과 후항에 4를 곱합니다.

❻ 비의 전항과 후항에 6을 곱합니다.

❼ 비의 전항과 후항에 3을 곱합니다.

❽ 비의 전항과 후항에 5를 곱합니다.

137쪽	똑똑한 계산 연습

❶ 2, 5   ❷ 3, 9

❸ 4, 6   ❹ 5, 5

❺ 5, 9   ❻ 5, 4

❼ 6, 7, 10   ❽ 7, 8, 11

❶ 비의 전항과 후항을 2로 나눕니다.

❷ 비의 전항과 후항을 3으로 나눕니다.

❸ 비의 전항과 후항을 4로 나눕니다.

❹ 비의 전항과 후항을 5로 나눕니다.

❺ 비의 전항과 후항을 9로 나눕니다.

❻ 비의 전항과 후항을 4로 나눕니다.

❼ 비의 전항과 후항을 6으로 나눕니다.

❽ 비의 전항과 후항을 7로 나눕니다.

138~139쪽	기초 집중 연습
1-1 28	**1**-2 21
1-3 17	**1**-4 9
2-1 ㄹ	**2**-2 ㄴ
2-3 ㄷ	**2**-4 ㄱ
3-1 18	**3**-2 49
3-3 39	**3**-4 42
4-1 4, 18	**4**-2 18, 39
4-3 8, 13	**4**-4 9, 7

1-1 7 : 6의 전항과 후항에 4를 곱하여 비율이 같은 비를 만듭니다.
⇨ 28 : 24

1-2 15 : 7의 전항과 후항에 3을 곱하여 비율이 같은 비를 만듭니다.
⇨ 45 : 21

1-3 34 : 16의 전항과 후항을 2로 나누어 비율이 같은 비를 만듭니다.
⇨ 17 : 8

1-4 42 : 54의 전항과 후항을 6으로 나누어 비율이 같은 비를 만듭니다.
⇨ 7 : 9

2-1 $4 : 7 \Rightarrow 12 : 21$ (×3, ×3)

2-2 $24 : 20 \Rightarrow 6 : 5$ (÷4, ÷4)

2-3 $3 : 7 \Rightarrow 12 : 28$ (×4, ×4)

2-4 $36 : 63 \Rightarrow 4 : 7$ (÷9, ÷9)

3-1 3 : 5의 전항과 후항에 6을 곱합니다.
⇨ $3 \times 6 = 18$

3-2 8 : 7의 전항과 후항에 7을 곱합니다.
⇨ $7 \times 7 = 49$

3-3 13 : 15의 전항과 후항에 3을 곱합니다.
⇨ $13 \times 3 = 39$

3-4 6 : 7의 전항과 후항에 6을 곱합니다.
⇨ $7 \times 6 = 42$

4-1 $2 : 9 \Rightarrow 4 : 18$ (×2, ×2)

4-2 $6 : 13 \Rightarrow 18 : 39$ (×3, ×3)

4-3 $40 : 65 \Rightarrow 8 : 13$ (÷5, ÷5)

4-4 $54 : 42 \Rightarrow 9 : 7$ (÷6, ÷6)

141쪽	똑똑한 계산 연습
❶ 15, 20 ; 3, 4	❷ 3, 14 ; 6, 7
❸ 2, 35 ; 14, 2	❹ 7, 3
❺ 8, 17	❻ 7, 10
❼ 7, 13	❽ 5, 14

❶ 비의 전항과 후항을 두 수의 공약수로 나누어 간단한 자연수의 비로 나타냅니다.

❹ $56 : 24 \Rightarrow (56 \div 8) : (24 \div 8)$
⇨ 7 : 3

❺ $32 : 68 \Rightarrow (32 \div 4) : (68 \div 4)$
⇨ 8 : 17

❻ $56 : 80 \Rightarrow (56 \div 8) : (80 \div 8)$
⇨ 7 : 10

> **참고**
> 비의 전항과 후항을 두 수의 최대공약수로 나누면 가장 간단한 자연수의 비로 나타낼 수 있습니다.

❼ $28 : 52 \Rightarrow (28 \div 4) : (52 \div 4)$
⇨ 7 : 13

❽ $20 : 56 \Rightarrow (20 \div 4) : (56 \div 4)$
⇨ 5 : 14

143쪽 똑똑한 계산 연습

① 28, 24 **②** 15, 10

③ 10, 7 **④** 100, 13

⑤ 8 **⑥** 21

⑦ 10 **⑧** 7

⑨ 9, 7 **⑩** 2, 7

⑥ $\dfrac{6}{7} : \dfrac{3}{8} \Rightarrow \left(\dfrac{6}{7} \times 56\right) : \left(\dfrac{3}{8} \times 56\right) \Rightarrow 48 : 21$

⑦ $\dfrac{2}{5} : \dfrac{4}{7} \Rightarrow \left(\dfrac{2}{5} \times 35\right) : \left(\dfrac{4}{7} \times 35\right)$

$\Rightarrow 14 : 20$

$\Rightarrow (14 \div 2) : (20 \div 2)$

$\Rightarrow 7 : 10$

⑧ $0.4 : 2.8 \Rightarrow (0.4 \times 10) : (2.8 \times 10)$

$\Rightarrow 4 : 28$

$\Rightarrow (4 \div 4) : (28 \div 4)$

$\Rightarrow 1 : 7$

⑨ $6.3 : 4.9 \Rightarrow (6.3 \times 10) : (4.9 \times 10)$

$\Rightarrow 63 : 49$

$\Rightarrow (63 \div 7) : (49 \div 7)$

$\Rightarrow 9 : 7$

⑩ $0.16 : 0.56 \Rightarrow (0.16 \times 100) : (0.56 \times 100)$

$\Rightarrow 16 : 56$

$\Rightarrow (16 \div 8) : (56 \div 8)$

$\Rightarrow 2 : 7$

144~145쪽 기초 집중 연습

1-1 5 : 1 **1-2** 9 : 10

1-3 3 : 5 **1-4** 11 : 13

1-5 28 : 15 **1-6** 5 : 6

2-1 44 : 15 **2-2** 18 : 5

2-3 20 : 21 **2-4** 7 : 6

2-5 32 : 21 **3-1** 1 : 2

3-2 7 : 6 **3-3** 6 : 5

3-4 7 : 12 **4-1** 27, 41

4-2 6, 7

1-2 $54 : 60 \Rightarrow (54 \div 6) : (60 \div 6)$

$\Rightarrow 9 : 10$

1-3 $2.7 : 4.5 \Rightarrow (2.7 \times 10) : (4.5 \times 10)$

$\Rightarrow 27 : 45$

$\Rightarrow (27 \div 9) : (45 \div 9)$

$\Rightarrow 3 : 5$

1-4 $0.55 : 0.65 \Rightarrow (0.55 \times 100) : (0.65 \times 100)$

$\Rightarrow 55 : 65$

$\Rightarrow (55 \div 5) : (65 \div 5)$

$\Rightarrow 11 : 13$

1-5 $\dfrac{7}{10} : \dfrac{3}{8} \Rightarrow \left(\dfrac{7}{10} \times 40\right) : \left(\dfrac{3}{8} \times 40\right)$

$\Rightarrow 28 : 15$

1-6 $\dfrac{1}{4} : \dfrac{3}{10} \Rightarrow \left(\dfrac{1}{4} \times 20\right) : \left(\dfrac{3}{10} \times 20\right)$

$\Rightarrow 5 : 6$

2-1 $1\dfrac{5}{6} : \dfrac{5}{8} \Rightarrow \dfrac{11}{6} : \dfrac{5}{8}$

$\Rightarrow \left(\dfrac{11}{6} \times 24\right) : \left(\dfrac{5}{8} \times 24\right)$

$\Rightarrow 44 : 15$

2-2 $1\dfrac{4}{5} : \dfrac{1}{2} \Rightarrow \dfrac{9}{5} : \dfrac{1}{2}$

$\Rightarrow \left(\dfrac{9}{5} \times 10\right) : \left(\dfrac{1}{2} \times 10\right)$

$\Rightarrow 18 : 5$

2-3 $1\dfrac{1}{3} : 1\dfrac{2}{5} \Rightarrow \dfrac{4}{3} : \dfrac{7}{5}$

$\Rightarrow \left(\dfrac{4}{3} \times 15\right) : \left(\dfrac{7}{5} \times 15\right)$

$\Rightarrow 20 : 21$

2-4 $1\dfrac{3}{4} : 1\dfrac{1}{2} \Rightarrow \dfrac{7}{4} : \dfrac{3}{2}$

$\Rightarrow \left(\dfrac{7}{4} \times 4\right) : \left(\dfrac{3}{2} \times 4\right)$

$\Rightarrow 7 : 6$

3-1 $\dfrac{3}{4} : 1\dfrac{1}{2} \Rightarrow \dfrac{3}{4} : \dfrac{3}{2}$

$\Rightarrow \left(\dfrac{3}{4} \times 4\right) : \left(\dfrac{3}{2} \times 4\right)$

$\Rightarrow 3 : 6 \Rightarrow (3 \div 3) : (6 \div 3) \Rightarrow 1 : 2$

3-2 $\dfrac{7}{8} : \dfrac{3}{4} \Rightarrow \left(\dfrac{7}{8} \times 8\right) : \left(\dfrac{3}{4} \times 8\right)$

$\Rightarrow 7 : 6$

3-3 $1\dfrac{1}{2} : 1\dfrac{1}{4} \Rightarrow \dfrac{3}{2} : \dfrac{5}{4}$

$\Rightarrow \left(\dfrac{3}{2} \times 4\right) : \left(\dfrac{5}{4} \times 4\right)$

$\Rightarrow 6 : 5$

3-4 $\dfrac{7}{8} : 1\dfrac{1}{2} \Rightarrow \dfrac{7}{8} : \dfrac{3}{2}$

$\Rightarrow \left(\dfrac{7}{8} \times 8\right) : \left(\dfrac{3}{2} \times 8\right)$

$\Rightarrow 7 : 12$

4-1 $0.54 : 0.82 \Rightarrow (0.54 \times 100) : (0.82 \times 100)$

$\Rightarrow 54 : 82 \Rightarrow (54 \div 2) : (82 \div 2)$

$\Rightarrow 27 : 41$

4-2 $\dfrac{3}{5} : \dfrac{7}{10} \Rightarrow \left(\dfrac{3}{5} \times 10\right) : \left(\dfrac{7}{10} \times 10\right)$

$\Rightarrow 6 : 7$

147쪽   똑똑한 계산 연습

① 4, 10   ② 21, 12

③ 5 : 4   ④ 3 : 2

⑤ $3 : 5 = 9 : 15 (9 : 15 = 3 : 5)$

⑥ $2 : 5 = 8 : 20 (8 : 20 = 2 : 5)$

⑦ $7 : 9 = 21 : 27$ ⑧ $5 : 6 = 20 : 24$

⑨ $8 : 15 = 16 : 30$ ⑩ $4 : 7 = 16 : 28$

⑪ $5 : 11 = 20 : 44$

① 비율을 알아보면

$2 : 5 \rightarrow \dfrac{2}{5}$, $4 : 10 \rightarrow \dfrac{4}{10} = \dfrac{2}{5}$,

$6 : 8 \rightarrow \dfrac{6}{8} = \dfrac{3}{4}$입니다.

비율이 같은 두 비로 비례식을 세우면

$2 : 5 = 4 : 10$입니다.

② 비율을 알아보면

$7 : 4 \rightarrow \dfrac{7}{4}$, $14 : 6 \rightarrow \dfrac{14}{6} = \dfrac{7}{3}$,

$21 : 12 \rightarrow \dfrac{21}{12} = \dfrac{7}{4}$입니다.

비율이 같은 두 비로 비례식을 세우면

$7 : 4 = 21 : 12$입니다.

149쪽   똑똑한 계산 연습

① 9, 15   ② 36, 24

③ 14, 35   ④ 21, 18

⑤ 56, 49   ⑥ 39, 27

⑦ 6, 55 ; 11, 30   ⑧ 7, 20 ; 5, 28

⑨ 9, 52 ; 13, 36   ⑩ 8, 45 ; 15, 24

150~151쪽   기초 집중 연습

1-1 8, 10   **1-2** 3, 9

1-3 6, 9   **1-4** 5, 1

2-1 $3 : 7 = 9 : 21$(또는 $9 : 21 = 3 : 7$)

2-2 $3 : 4 = 12 : 16$(또는 $12 : 16 = 3 : 4$)

2-3 $6 : 7 = 54 : 63$(또는 $54 : 63 = 6 : 7$)

2-4 $8 : 17 = 16 : 34$(또는 $16 : 34 = 8 : 17$)

3-1 ○   **3-2** ×

3-3 ○   **3-4** ×

3-5 ○   **3-6** ○

4-1 17   **4-2** 9

2-1 $12 : 15$의 비율은 $\dfrac{4}{5}$, $9 : 21$의 비율은 $\dfrac{3}{7}$입니다.

$\Rightarrow 3 : 7 = 9 : 21$

2-2 $12 : 16$의 비율은 $\dfrac{3}{4}$이므로 $3 : 4 = 12 : 16$

2-3 $54 : 63$의 비율은 $\dfrac{6}{7}$이므로 $6 : 7 = 54 : 63$

2-4 $16 : 34$의 비율은 $\dfrac{8}{17}$이므로 $8 : 17 = 16 : 34$

3-2 외항: 3, 25

내항: 5, 15

3-4 외항: 9, 49

내항: 7, 63

4-1 외항은 17, 30이고 이 중 전항은 17입니다.

4-2 내항은 9, 25이고 이 중 후항은 9입니다.

153쪽 — 똑똑한 계산 연습

1 25, 50 ; 10, 50
2 21, 84 ; 12, 84
3 36, 18 ; 20, 18
4 378, 378 ; ○
5 42, 42 ; ○
6 4, $2\frac{2}{5}\left(=\frac{12}{5}\right)$; ×
7 5.2, 6.5 ; ×

1 비례식에서 외항의 곱과 내항의 곱은 같습니다.

155쪽 — 똑똑한 계산 연습

1 60, 60, 15
2 98, 98, 14
3 132, 132, 12
4 80, 80, 4
5 4.8, 4.8, 3
6 21, 21, 7

156~157쪽 — 기초 집중 연습

1-1 ㉡   **1-2** ㉠
1-3 ㉡   **1-4** ㉢
2-1 5, 20   **2-2** 7, 35
2-3 7, 14   **2-4** 7, 21
3-1 20   **3-2** 24
3-3 48, 27, 9   **4-1** 6 ; 9
4-2 4 ; 10   **4-3** 9
4-4 32

1-1 외항의 곱과 내항의 곱이 같은 것을 찾습니다.

$$10 \times 15 = 150$$
㉡ $10 : 3 = 50 : 15$
$$3 \times 50 = 150$$

1-2 외항의 곱과 내항의 곱이 같은 것을 찾습니다.

$$84$$
㉠ $3 : 7 = 12 : 28$
$$84$$

1-3
$$7 \times 20 = 140$$
㉡ $7 : 4 = 35 : 20$
$$4 \times 35 = 140$$

1-4
$$2 \times 21 = 42$$
㉢ $2 : 3 = 14 : 21$
$$3 \times 14 = 42$$

2-1 ㉠$\times 36 = 180$, ㉠$=5$
    $9 \times$㉡$=180$, ㉡$=20$

2-2 ㉠$\times 15 = 105$, ㉠$=7$
    $3 \times$㉡$=105$, ㉡$=35$

2-3 $5 \times$㉡$=70$, ㉡$=14$
    ㉠$\times 10 = 70$, ㉠$=7$

2-4 $8 \times$㉡$=168$, ㉡$=21$
    ㉠$\times 24 = 168$, ㉠$=7$

3-1 $4 \times 35 = 7 \times ★$, $7 \times ★ = 140$, $★=20$

3-2 $4 \times ★ = 3 \times 32$, $4 \times ★ = 96$, $★=24$

3-3 $16 \times 27 = ★ \times 48$, $★ \times 48 = 432$, $★=9$

4-3 $3 : 2400 = \square : 7200$,
    $2400 \times \square = 21600$, $\square=9$

4-4 $8 : 3000 = \square : 12000$,
    $3000 \times \square = 96000$, $\square=32$

159쪽 — 똑똑한 계산 연습

1 18 ; 4, 24
2 40 ; 2, 2, 16
3 36 ; 5, 5, 20
4 72 ; 3, 3, 27
5 36 ; 3, 3, 27
6 49 ; 5, 5, 35

161쪽 — 똑똑한 계산 연습

1 5, 40 ; 5, 60
2 4, 50 ; 4, 150
3 5, 70 ; 5, 280
4 8, 90 ; 8, 150
5 12, 250 ; 12, 350

1 $100 \times \frac{2}{5} = 40$, $100 \times \frac{3}{5} = 60$

2 $200 \times \frac{1}{4} = 50$, $200 \times \frac{3}{4} = 150$

③ $350 \times \dfrac{1}{5} = 70$, $350 \times \dfrac{4}{5} = 280$

④ $240 \times \dfrac{3}{8} = 90$, $240 \times \dfrac{5}{8} = 150$

⑤ $600 \times \dfrac{5}{12} = 250$, $600 \times \dfrac{7}{12} = 350$

162~163쪽 **기초 집중 연습**

1-1 32 ; 5, 40 **1-2** 48 ; 3, 72
1-3 3300 ; 3, 900 **1-4** 2800 ; 8, 3200
2-1 8, 28 **2-2** 42, 48
2-3 91, 65 **2-4** 104, 88
3-1 28, 21 **3-2** 36, 24
3-3 18, 63 **3-4** 84, 60
4-1 4, 48 **4-2** 4, 20
4-3 4000, $\dfrac{3}{8}$, 1500 **4-4** 9600, $\dfrac{9}{16}$, 5400

2-1 $36 \times \dfrac{2}{9} = 8$, $36 \times \dfrac{7}{9} = 28$

2-2 $90 \times \dfrac{7}{15} = 42$, $90 \times \dfrac{8}{15} = 48$

2-3 $156 \times \dfrac{7}{12} = 91$, $156 \times \dfrac{5}{12} = 65$

2-4 $192 \times \dfrac{13}{24} = 104$, $192 \times \dfrac{11}{24} = 88$

3-1 $49 \times \dfrac{4}{7} = 28$(개), $49 \times \dfrac{3}{7} = 21$(개)

3-2 $60 \times \dfrac{3}{5} = 36$(개), $60 \times \dfrac{2}{5} = 24$(개)

3-3 $81 \times \dfrac{2}{9} = 18$(개), $81 \times \dfrac{7}{9} = 63$(개)

3-4 $144 \times \dfrac{7}{12} = 84$(개), $144 \times \dfrac{5}{12} = 60$(개)

4-1 $84 \times \dfrac{4}{7} = 48$(개)

4-2 $55 \times \dfrac{4}{11} = 20$(개)

164~165쪽 **누구나 100점 맞는 TEST**

❶ 28 **❷** 9
❸ 54 **❹** 12
❺ 2 : 5 **❻** 17 : 12
❼ 4 : 5 **❽** 7 : 8
❾ 3 : 2 **❿** 1 : 3
⓫ 56 **⓬** 56
⓭ 4 **⓮** 27
⓯ 13 **⓰** 12
⓱ 12, 21 **⓲** 44, 33
⓳ 55, 25 **⓴** 40, 25

❶ 비의 전항과 후항에 4를 곱하여 비율이 같은 비를 만듭니다.

❷ 비의 전항과 후항을 9로 나누어 비율이 같은 비를 만듭니다.

❸ 비의 전항과 후항에 6을 곱하여 비율이 같은 비를 만듭니다.

❹ 비의 전항과 후항을 6으로 나누어 비율이 같은 비를 만듭니다.

❺ $36 : 90 \Rightarrow (36 \div 18) : (90 \div 18)$
$\Rightarrow 2 : 5$

❻ $51 : 36 \Rightarrow (51 \div 3) : (36 \div 3)$
$\Rightarrow 17 : 12$

❼ $\dfrac{2}{3} : \dfrac{5}{6} \Rightarrow \left(\dfrac{2}{3} \times 6\right) : \left(\dfrac{5}{6} \times 6\right)$
$\Rightarrow 4 : 5$

❽ $\dfrac{7}{20} : \dfrac{2}{5} \Rightarrow \left(\dfrac{7}{20} \times 20\right) : \left(\dfrac{2}{5} \times 20\right)$
$\Rightarrow 7 : 8$

❾ $2.4 : 1.6 \Rightarrow (2.4 \times 10) : (1.6 \times 10)$
$\Rightarrow 24 : 16$
$\Rightarrow (24 \div 8) : (16 \div 8)$
$\Rightarrow 3 : 2$

❿ $0.65 : 1.95 \Rightarrow (0.65 \times 100) : (1.95 \times 100)$
$\Rightarrow 65 : 195$
$\Rightarrow (65 \div 65) : (195 \div 65)$
$\Rightarrow 1 : 3$

정답 및 풀이 • **27**

정답 및 풀이

⑪ $8 \times 63 = 9 \times \blacksquare$, $9 \times \blacksquare = 504$, $\blacksquare = 56$

⑫ $5 \times \blacksquare = 7 \times 40$, $5 \times \blacksquare = 280$, $\blacksquare = 56$

⑬ $16 \times 5 = 20 \times \blacksquare$, $20 \times \blacksquare = 80$, $\blacksquare = 4$

⑭ $\blacksquare \times 4 = 36 \times 3$, $\blacksquare \times 4 = 108$, $\blacksquare = 108 \div 4$,
$\blacksquare = 27$

⑮ $2 \times 65 = \blacksquare \times 10$, $\blacksquare \times 10 = 130$, $\blacksquare = 13$

⑯ $\blacksquare \times 72 = 9 \times 96$, $\blacksquare \times 72 = 864$, $\blacksquare = 864 \div 72$,
$\blacksquare = 12$

⑰ $33 \times \dfrac{4}{11} = 12$, $33 \times \dfrac{7}{11} = 21$

⑱ $77 \times \dfrac{4}{7} = 44$, $77 \times \dfrac{3}{7} = 33$

⑲ $80 \times \dfrac{11}{16} = 55$, $80 \times \dfrac{5}{16} = 25$

⑳ $65 \times \dfrac{8}{13} = 40$, $65 \times \dfrac{5}{13} = 25$

166~171쪽 특강 — 창의·융합·코딩

창의1 1, 8, 300 ; 2400
융합2 12, 150 ; 12, 150, 600 ; 48
융합3 7 : 1
융합4 (1) 3 : 4 (2) 4 : 17
창의5 4853
창의6 자전거
융합7 32 ; 40
코딩8 480 ; 180

융합2 $12 \times 600 = 150 \times \bullet$
$150 \times \bullet = 7200$
$\bullet = 7200 \div 150$
$\bullet = 48$

융합3 (단백질) : (지방) $\Rightarrow 0.91 : 0.13$
$\Rightarrow (0.91 \times 100) : (0.13 \times 100)$
$\Rightarrow 91 : 13$
$\Rightarrow (91 \div 13) : (13 \div 13)$
$\Rightarrow 7 : 1$

융합4 (1) $21 : 28 \Rightarrow (21 \div 7) : (28 \div 7)$
$\Rightarrow 3 : 4$
(2) $16 : 68 \Rightarrow (16 \div 4) : (68 \div 4)$
$\Rightarrow 4 : 17$

창의5 ① $\dfrac{3}{4} : \dfrac{1}{5} \Rightarrow \left(\dfrac{3}{4} \times 20\right) : \left(\dfrac{1}{5} \times 20\right)$
$\Rightarrow 15 : 4$
② $\dfrac{7}{20} : \dfrac{2}{5} \Rightarrow \left(\dfrac{7}{20} \times 20\right) : \left(\dfrac{2}{5} \times 20\right)$
$\Rightarrow 7 : 8$
③ $1\dfrac{3}{7} : 1\dfrac{4}{21} \Rightarrow \left(\dfrac{10}{7} \times 21\right) : \left(\dfrac{25}{21} \times 21\right)$
$\Rightarrow 30 : 25$
$\Rightarrow (30 \div 5) : (25 \div 5)$
$\Rightarrow 6 : 5$
④ $2\dfrac{2}{5} : 1\dfrac{4}{5} \Rightarrow \left(\dfrac{12}{5} \times 5\right) : \left(\dfrac{9}{5} \times 5\right)$
$\Rightarrow 12 : 9$
$\Rightarrow (12 \div 3) : (9 \div 3)$
$\Rightarrow 4 : 3$

창의6

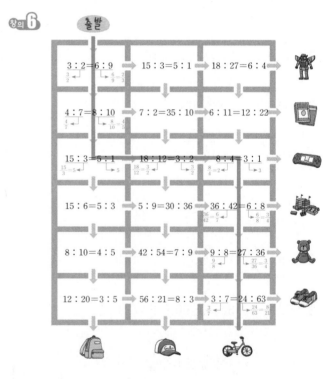

융합7 소용: $72 \times \dfrac{4}{4+5} = 32$(포기)
종철: $72 \times \dfrac{5}{4+5} = 40$(포기)

코딩8 $C = 480 \times \dfrac{3}{3+5} = 180$

기초 학습능력 강화 프로그램

매일 조금씩 **공부력** UP

똑똑한 하루
독해&어휘

쉽다!	**재미있다!**	**똑똑하다!**
10분이면 하루치 공부를 마칠 수 있는 커리큘럼으로, 아이들이 쉽고 재미있게 독해&어휘에 접근할 수 있도록 구성	교과서는 물론 생활 속에서 쉽게 접할 수 있는 다양한 소재를 활용해 흥미로운 학습 유도	초등학생에게 꼭 필요한 상식과 함께 창의적 사고력 확장을 돕는 게임 형식의 구성으로 독해력&어휘력 학습

공부의 핵심은 독해!
예비초~초6 / 1A~6B, 총 12권

독해의 시작은 어휘!
예비초~초6 / 1~6단계, 6권

정답은
이안에
있어!

하루 독해　　하루 어휘　　하루 글쓰기　　하루 VOCA

하루 수학　　하루 계산　　하루 도형　　하루 사고력

하루 사회　　하루 과학

과목	교재 구성	과목	교재 구성
하루 수학	1~6학년 1·2학기 12권	하루 사고력	1~6학년 A·B단계 12권
하루 VOCA	3~6학년 A·B단계 8권	하루 글쓰기	예비초~6학년 A·B단계 14권
하루 사회	3~6학년 1·2학기 8권	하루 한자	1~6학년 A·B단계 12권
하루 과학	3~6학년 1·2학기 8권	하루 어휘	1~6단계 6권
하루 도형	1~6단계 6권	하루 독해	예비초~6학년 A·B단계 12권
하루 계산	1~6학년 A·B단계 12권		

※ 각 교재별 출간 시기는 조금씩 다르며, 일부 교재는 순차적으로 출시될 예정입니다.

어떤 글도 술~술~ 써지는 글쓰기 공부법!

똑똑한 하루 글쓰기

※순차 출시 예정

꾸준한 글쓰기 연습	갈래별 글쓰기 학습	쉽고 재미있는 구성
하루 6쪽, 4주 완성 구성으로 꾸준히 글을 쓰는 습관을 길러 주어 사고력과 표현력이 쑥쑥!	주차별로 편지 쓰기, 설명하는 글 쓰기 등 초등 교과 학습과 생활 속 글쓰기에 맞춘 다양한 갈래별 글쓰기로 균형 잡힌 학습!	'낱말 쓰기 → 문장 쓰기 → 한 편 쓰기'로 이어지는 단계별 학습과 이미지를 활용한 쉽고 재미있는 구성!

『똑똑한 하루 글쓰기』와 함께
글쓰기부터 공부 습관까지!
예비초~초6 / 1A~6B, 총 14권
※순차 출시 예정